Nuevas aventuras de
Paddington

Nuevas aventuras de
Paddington

Con dibujos por
Peggy Fortnum

Editorial Noguer, S.A.

Primera edición, 1977
RESERVADOS TODOS LOS DERECHOS
Título original de la obra: More About Paddington
Traducción: Margarita García
ISBN edición original: 0-00-182102-4
ISBN: 84-279-3704-0
Depósito legal: B-13914-1977
© 1959 by Michael Bond
© 1977 by Editorial Noguer, S.A., Paseo de Gracia, 96, Barcelona,
para la publicación en lengua española.
Printed in Spain

1977 - Gráficas Instar, S.A., Constitución, 19, Barcelona-14

CAPÍTULO I
UN GRUPO FAMILIAR

La casa de los Brown, en el número treinta y dos de Windsor Gardens, estaba desusadamente tranquila. Era un cálido día de verano, y toda la familia, con excepción de Paddington, quien había desaparecido misteriosamente poco después del almuerzo, estaba sentada en la galería disfrutando apaciblemente del sol de la tarde.

Aparte del débil roce del papel conforme el señor Brown volvía las páginas de un enorme libro y el clic de las agujas de hacer media de la señora Brown, el único sonido venía de la señora Bird, el ama de llaves, mientras preparaba las cosas para el té.

Jonathan y Judy estaban demasiado ocupados uniendo las piezas de un enorme rompecabezas para decir nada.

Fue el señor Brown quien primero quebró el silencio.

—¿Sabéis? —empezó a decir, dando una buena chupada a su pipa—. Tiene gracia; pero he mirado en esta enciclopedia una docena de veces y no se menciona a ningún oso como Paddington.

—Ni lo mencionará —exclamó la señora Bird—. Los osos como Paddington son muy raros. Y es buena cosa, si me permiten decirlo, si no, nos costaría una fortuna en mermelada.

La señora Bird siempre estaba haciendo comentarios sobre la afición de Paddington por la mermelada, aunque bien se echaba de ver que siempre tenía un tarro de más en la despensa, por si acaso.

—De todos modos, Henry —dijo la señora Brown soltando su labor de punto—, ¿por qué has querido mirar eso de Paddington?

El señor Brown se retorció el bigote, pensativo.

—¡Oh, por nada! —contestó vagamente—. Me interesaba, eso es todo.

Tener un oso en la familia era una gran responsabilidad, especialmente un oso como Paddington, y el señor Brown se tomaba el asunto muy en serio.

—La cosa es —dijo cerrando el libro de golpe—, que si se va a quedar con nosotros...

—¿Sí? —hubo un coro de alarma del resto de la familia, por no mencionar a la señora Bird.

—¿Qué demonios quieres decir, Henry? —preguntó la señora Brown—. Si Paddington se queda con nosotros... Claro que se queda.

—Tal como se ha quedado con nosotros —se apresuró a decir el señor Brown—. Hay un par de cosas que se me ocurren. Primero de todo he estado pensando en decorar para él la habitación libre.

La propuesta recibió el asenso general. Desde que llegó a la casa, Paddington ocupaba la habitación de los huéspedes. Como era un oso muy educado, nunca había dicho nada, aun cuando tuvo que abandonar el cuarto alguna vez para dejar sitio a los visitantes; pero ya hacía tiempo que se había decidido que tendría habitación propia.

—La segunda cosa —continuó el señor Brown—, es una fotografía. Creo que sería bonito que nos hicieran un retrato del grupo familiar.

—¿Una fotografía? —preguntó la señora Bird—. Tiene gracia que diga usted eso.

—¿Oh? —inquirió el señor Brown—. ¿Por qué?

La señora Bird se atareó con la tetera.

—Pues que todas las cosas a su debido tiempo —dijo—. Y por mucho que lo intentaron, no pudieron sonsacarle nada más.

Por suerte, se libró de que le hicieran más preguntas, porque en aquel momento se oyó un fuerte ruido, como de un porrazo, que parecía proceder del comedor, y Paddington apareció en el ventanal. Forcejeaba con una gran caja de cartón, encima de la cual había un objeto misterioso de aspecto metálico con largas escarpias en un extremo.

Pero no era lo que llevaba lo que hizo que todos se quedaran boquiabiertos. Era su aspecto general.

Su piel tenía una suavidad inusitada, con una tonalidad dorada, y sus orejas o, mejor dicho, la parte de ellas que asomaba bajo la amplia ala de su viejo sombrero, eran tan negras y brillantes como la punta de su nariz. Incluso sus patas y bigotes tenían que ser vistos para ser creídos.

Todo el mundo se irguió estupefacto y a la señora Brown se le escaparon algunos puntos.

—¡Santo cielo! —exclamó el señor Brown, casi derramando el té sobre la enciclopedia—. ¿Qué has hecho contigo?

9

—Me he dado un baño —contestó Paddington, pareciendo muy ofendido.

—¿Un baño? —repitió Judy lentamente—. ¿Sin que te lo pidieran?

—¡Atiza! —exclamó Jonathan—. Mejor será que arriemos las banderas.

—¿Te encuentras bien? —le preguntó el señor Brown—. Quiero decir... ¿te sientes enfermo o cosa parecida?

Paddington se mostró aún más ofendido por la excitación que había causado. Era como si nunca se hubiera *lavado*. Y la verdad es que lo hacía la mayoría de las mañanas. Era, sencillamente, que él tenía sus puntos de vista sobre los baños en particular. Darse un baño significaba para él mojarse la piel, y luego tardaba mucho rato en secársele.

—Sólo quería estar guapo para la fotografía —dijo con firmeza.

—¿La fotografía? —repitieron todos. Era realmente misterioso el modo que tenía Paddington de enterarse de las cosas.

—Sí —dijo Paddington. Una expresión de importancia apareció en su cara mientras se inclinaba y empezaba a desatar la cuerda que ataba la caja—. Me he comprado una cámara fotográfica.

Hubo un momento de silencio mientras los Brown contemplaban la parte trasera de Paddington inclinándose sobre la cámara.

—¡Una cámara! —exclamó la señora Brown, al final—. Pero, ¿no son muy caras?

—Esta no lo era —contestó Paddington, respirando con fuerza. Se levantó y sacó la mayor cámara fotográfica que los Brown habían jamás visto—. La compré en una liquidación, en el mercado. Me costó sólo tres chelines y seis peniques.

—¡Tres chelines y seis peniques! —exclamó la señora Brown pareciendo impresionada. Se volvió hacia los otros—. Debo decir que nunca he conocido un oso con tanta maña para regatear como Paddington.

—¡Atiza! —exclamó Jonathan—. ¡Hasta tiene una capucha para meter en ella la cabeza!

—¿Qué es esa cosa larga? —preguntó Judy.

—Es un trípode —explicó Paddington con orgullo. Se sentó en el suelo y empezó a desplegar las patas—. Es para sostener la cámara y que no tiemble.

El señor Brown cogió la cámara y la examinó. Al volverla cayeron algunos tornillos oxidados y unos clavos viejos.

—¿No es muy vieja? —le preguntó sin pensar—. Parece como si alguien la haya estado utilizando como caja de herramientas y no como cámara.

Paddington se alzó el ala de su sombrero y dedicó al señor Brown una mirada dura.

—Es de una clase muy rara —dijo—. Eso me dijo el hombre de la tienda de rebajas.

—Yo creo que es soberbia —exclamó Jonathan excitado—. Por favor, hazme primero una foto a mí, Paddington.

—Sólo tengo una placa —respondió Paddington muy decidido—. Las extra cuestan mucho y ya no me queda dinero para mis gastillos, así que me temo que tendrás que salir en el grupo.

—Ciertamente, parece una cosa muy complicada y más bien grande para un oso —observó la señora Brown, mientras Paddington atornillaba la cámara en el trípode y luego ajustaba las patas de modo que estuvieran a la altura debida—. ¿Estás seguro de que podrás trabajar con ella?

—Creo que sí —contestó Paddington. Su voz quedó ahogada cuando desapareció bajo la negra capucha de la parte de atrás—. El señor Gruber me ha prestado un libro de fotografía y he estado practicando bajo la sábana de la cama.

El señor Gruber, que tenía una tienda de antigüedades en el mercado de Portobello, era amigo íntimo de Paddington y le ayudaba a resolver todos sus problemas.

—Bueno, en ese caso... —el señor Brown se hizo cargo de la situación—. Sugiero que vayamos todos al césped y dejemos que Paddington nos saque la foto mientras haya sol —e indicó el camino hacia afuera mientras Paddington se apresuraba a instalar la cámara y el trípode.

Al cabo de un momento, Paddington anunció que todo estaba listo y empezó a ordenar el grupo de acuerdo con sus deseos, vol-

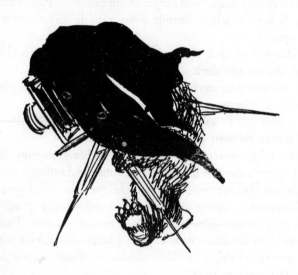

viendo a la carrera hacia la cámara de vez en cuando para mirarlos a través de la lente.

Como la cámara estaba tan cerca del suelo, tuvo que poner al señor Brown agachado en una posición más bien incómoda, detrás de Jonathan y Judy, mientras que la señora Brown y Bird se sentaban a su lado.

Aunque no dijo nada, Paddington se sintió un poco desanimado con lo que vio a través de la cámara. Podía reconocer al señor Brown gracias a su bigote; pero con los otros era más difícil. Todo el mundo parecía borroso, como si estuvieran en medio de la niebla. Era extraño, porque cuando sacó la cabeza de la capucha, vio un día soleado.

Los Brown esperaron pacientemente mientras Paddington se sentaba en la hierba y consultaba su libro de instrucciones. Casi en seguida descubrió un capítulo muy interesante que se titulaba ENFOQUE. Explicaba de qué modo, si uno quería fotos bonitas y claras, era importante poner la cámara a la debida distancia y bien ajustada. Incluso había un dibujo que mostraba a un hombre midiendo la distancia con un trozo de cuerda.

Pasaron varios minutos, porque Paddington era un lector más bien lento, y tenía que examinar varios diagramas.

—Espero que no tarde mucho —dijo el señor Brown—. Ya me están dando calambres.

—Sufrirá una desilusión si te mueves —le advirtió la señora Brown—. Se ha tomado grandes molestias para colocarnos, y formamos un bonito grupo.

—Para ti todo está muy bien —refunfuñó el señor Brown—. Tú estás sentada.

—¡Chis! —replicó la señora Brown—. Creo que ya está casi listo. Está haciendo algo con un pedazo de cuerda.

—¿Qué demonios es eso? —preguntó el señor Brown.

—Es para medir —contestó Paddington haciendo un lazo en un extremo.

—Bueno, si no te importa —protestó el señor Brown, cuando vio lo que Paddington iba a hacer—. Será mejor que ates el otro extremo en la cámara en vez de éste en mi oreja —el resto de su frase desapareció en una especie de glu-glú cuando Paddington tiró de la cuerda para tensarla.

Paddington miró sorprendido y examinó el nudo alrededor de la oreja del señor Brown con interés.

—Creo que he hecho un nudo corredizo por error —anunció finalmente. Paddington no era muy bueno haciendo nudos, porque el tener patas le hacía las cosas difíciles.

—En realidad, Henry —le dijo la señora Brown—. No tienes por qué armar tanto jaleo. Cualquiera diría que te han hecho daño.

El señor Brown se frotó la oreja, que se le había puesto de un gracioso color malva.

—Es mi oreja —dijo—. Y me duele.

—Y ahora, ¿adónde va? —preguntó la señora Bird, mientras Paddington se dirigía apresuradamente hacia la casa.

—Creo que ha ido a medir la cuerda —dijo Jonathan.

—¡Oh! —exclamó el señor Brown—. Bueno, yo voy a ponerme de pie.

—¡Henry! —dijo la señora Brown—. Si lo haces, me enfadaré mucho.

—De todos modos es demasiado tarde —gimió el señor Brown—. Se me ha dormido la pierna.

Afortunadamente para el señor Brown, Paddington volvió en aquel momento. Miró con fijeza al sol y luego al grupo que aguardaba.

—Me temo que tendrá que irse allí —dijo, tras consultar su libro de instrucciones—. El sol se ha movido.

—No me sorprende —refunfuñó el señor Brown—. Al paso que vamos, se habrá puesto antes de que hayamos acabado.

—Nunca pensé que sacar una fotografía fuera tan complicado —dijo la señora Bird.

—Lo que no acabo de entender —susurró Judy—, es por qué Paddington se ha molestado en darse un baño si es él quien va a sacar la foto.

—Buena pregunta —dijo el señor Brown—. ¿Cómo vas a salir en la foto, Paddington?

Paddington se quedó mirando al señor Brown de modo extraño. Eso era algo en lo que él tampoco había pensado; pero decidió hacer frente a esa dificultad cuando se presentara. Antes tenía muchas cosas importantes que hacer.

—Apretaré el obturador —dijo, tras pensárselo un momento— y luego echaré a correr hacia donde están ustedes.

—Pero los osos no pueden correr con suficiente rapidez —insistió el señor Brown.

—Estoy segura de que Paddington sabe lo que tiene que hacer —susurró la señora Brown—. Y si no lo sabe, mejor será no decírselo para que no arme jaleo. Si descubre que se ha tomado un baño para nada, habrá que oírle.

—Parece una capucha muy larga —dijo la señora Bird, mirando hacia la cámara—. No puedo ver a Paddington.

—Eso se debe a que es muy pequeño —explicó Jonathan—. Tendría que haber bajado más el trípode.

Los Brown siguieron sentados muy quietos, con una sonrisa fija en sus rostros, mientras Paddington salía de la capucha. Hizo algu-

nos ajustes complicados en la parte delantera de la cámara y luego, tras anunciar que iba a meter la placa fotográfica, desapareció de nuevo.

De repente, con gran sorpresa de todos, la cámara y el trípode empezaron a balancearse hacia detrás y adelante, en forma realmente peligrosa.

—¡Santo Dios! —exclamó la señora Bird—. ¿Qué es lo que ocurre ahora?

—¡Mira! —gritó el señor Brown—. ¡Viene hacia nosotros!

16

Todos se levantaron y se alejaron, mirando con ojos muy abiertos a la cámara que les seguía. Pero, tras recorrer un par de metros, se detuvo de repente, giró hacia la izquierda y se encaminó hacia un rosal.

—Espero que se encuentre bien —dijo la señora Brown con ansiedad.

—¿Y si hiciéramos algo? —preguntó la señora Bird, cuando se oyó un grito ahogado de Paddington.

Pero antes de que nadie pudiera replicar, la cámara surgió del rosal y salió disparada hacia el césped. Dio dos botes alrededor del estanque central y luego saltó en el aire varias veces antes de caer, aterrizando con un golpe seco en medio del mejor cuadro de flores del señor Brown.

17

—¡Santo cielo! —gritó el señor Brown echando a correr—. ¡Mis petunias!

—Deja en paz tus petunias —dijo la señora Brown—. ¿Qué le ha ocurrido a Paddington?

—Nada de particular —dijo el señor Brown inclinándose y alzando la capucha—. ¡Ha metido la cabeza dentro de la cámara!

El señor Brown dejó de tirar y se arrastró alrededor para atisbar a través de la lente.

—No veo nada —dijo tras una breve pausa—. Está muy oscuro dentro.

Dio un golpecito a la caja y salió otro débil grito del interior.

—¡Mantequilla! —gritó la señora Bird corriendo hacia la cocina—. No hay como la mantequilla cuando alguien queda atascado.

La señora Bird era una gran creyente en las virtudes de la mantequilla. La había empleado ya en varias ocasiones cuando Paddington quedó atascado.

No obstante, a pesar de que Jonathan sostuvo por un lado y el señor Brown tiró del otro, pasó un buen rato antes de que la cabeza de Paddington saliera finalmente de la cámara. Se sentó en la hierba frotándose las orejas y con aspecto muy abatido. Las cosas no habían salido de acuerdo con su plan.

—Propongo —dijo el señor Brown, cuando el orden fue finalmente restablecido—, que lo coloquemos todo exactamente como estaba antes y atemos un cordel al obturador. Así Paddington podrá sentarse con el grupo y hacer funcionar la cámara a distancia. Resultará más seguro de ese modo.

Todo el mundo estuvo de acuerdo en que ésta era una buena idea. Mientras el señor Brown ordenaba el grupo otra vez, Paddington se ocupó de instalar la cámara y meter dentro la placa fotográfica, asegurándose esta vez de que quedaba bien colocada. Hubo un ligero retraso cuando él tiró con demasiada fuerza del cordel y el trípode cayó; pero finalmente llegó el gran momento.

Se oyó un clic de la cámara y todo el mundo se relajó.

El hombre de la tienda de fotografía quedó muy sorprendido cuando la señora Bird, todos los Brown y Paddington entraron en grupo por la puerta de su establecimiento.

—Ciertamente es de un tipo muy raro —dijo examinando la cámara de Paddington con interés—. Muy raro. He leído acerca de ellas, claro; pero nunca vi una antes. Debía... Debía estar guardada en una despensa o algo parecido. Tiene mucha mantequilla dentro.

—Es que sufrí un pequeño accidente cuando traté de meter la placa —explicó Paddington.

—Estamos muy ansiosos por ver el resultado de la fotografía —se apresuró a añadir el señor Brown—. Nos preguntamos si nos la puede revelar mientras esperamos.

El hombre dijo que lo haría encantado. Por todo lo que había visto y oído, estaba deseoso de ver la foto. Se apresuró pues a ir a su cuarto oscuro dejando a los Brown solos en la tienda. Que él recordara, hasta entonces nunca se había presentado en la tienda un osito fotógrafo.

Cuando volvió, su cara mostraba aturdimiento.

—¿Dice que ha sacado esta foto hoy? —preguntó, observando lo soleado del día a través de la ventana.

—Así es —contestó Paddington, mirándole con suspicacia.

—Pues bien, señor —el hombre sostuvo la placa a contraluz para que Paddington la viera—. Es bonita y nítida, y puedo verles a todos ustedes, pero parece como si en aquel momento hubiera niebla. Esas manchas de luz, como rayos de luna, las encuentro muy extrañas.

Paddington tomó la placa y la examinó cuidadosamente.

—Supongo que es donde dio la luz de la linterna cuando la tuve bajo la sábana de la cama —dijo al final.

—Bueno, creo que es una bonita fotografía para ser la primera —dijo la señora Bird—. Y me gustaría que hiciera seis copias tamaño postal, por favor. Estoy segura de que a Lucy, la tía de Paddington que está en el Perú, le gustará tener una. Vive en un hogar para osos jubilados en Lima —añadió para que lo supiera el tendero.

—¿De veras? —preguntó el hombre, pareciendo muy impresionado—. Bueno, es la primera vez que he oído hablar de una foto que va a ser enviada a Ultramar, especialmente a un hogar para osos jubilados en el Perú.

Luego se quedó pensativo por un momento.

—Le voy a proponer una cosa —dijo—. Si me puede prestar esta cámara para tenerla en mi escaparate durante una semana, no sólo haré gratis todas las copias que quieren, sino que haré una foto de cada uno de ustedes sin cobrarles nada por ellas. ¿Qué le parece la proposición?

—Ya debería haber pensado —comentó el señor Brown mientras volvían hacia casa—, que si Paddington nos hacía una fotografía, algo raro habría de suceder. Tiene gracia, las fotos nos han salido gratis.

—Los osos siempre caen de pie —dijo la señora Bird mirando a Paddington.

Pero Paddington no la estaba escuchando. Seguía pensando en su cámara.

A la mañana siguiente, temprano, se apresuró a ir a la tienda, y se sintió muy complacido al ver que su cámara ocupaba ya un puesto de honor en el centro del escaparate.

Al pie de la misma un letrero decía: TIPO MUY RARO DE CÁMARA PRIMITIVA, AHORA PROPIEDAD DEL SEÑOR PADDINGTON BROWN, UN CABALLERO OSITO LOCAL.

Pero Paddington se sintió aún más complacido por otro letrero que había al lado: UNA FOTO SACADA POR ÉL. Debajo estaba su foto.

Estaba un poco borrosa y había varias huellas de pata cerca del borde; pero se acercaron una o dos personas de la vecindad y le felicitaron y varias de ellas dijeron que podían reconocer claramente a los que habían sido retratados. Paddington pensó en suma que habían sido tres chelines y seis peniques muy bien gastados.

CAPÍTULO II

UN SITIO PARA DECORAR

Paddington dio un profundo suspiro y se bajó el sombrero sobre las orejas en un esfuerzo para no escuchar el ruido. Había tal alboroto que le era difícil escribir notas en su cuaderno.

El jaleo había empezado cuando los señores Brown y la señora Bird recibieron una invitación inesperada a una boda. Por suerte, Jonathan y Judy estaban fuera aquel día; de lo contrario, las cosas hubieran sido mucho peor. Paddington no estaba incluido en la invitación; pero a él no le importaba. No le gustaban mucho las bodas (aparte de que había pastel gratis) y le habían prometido un pedazo, asistiera o no.

Estaba deseando que todo el mundo se diera prisa y se fuera. Tenía una razón especial para querer estar solo aquel día.

Volvió a suspirar, limpió la pluma cuidadosamente con el dorso de su pata y luego secó algunas gotas de tinta que, sin saber cómo, habían caído sobre la mesa. Lo hizo en el momento justo, porque en aquel instante la puerta se abrió y la señora Brown entró corriendo.

—¡Ah, estás aquí, Paddington! —se paró en seco en medio de la habitación y se quedó mirándolo fijamente—. ¿Por qué tienes el sombrero puesto dentro de casa? —le preguntó—. ¿Y por qué tienes la lengua azul?

Paddington sacó la lengua todo lo que pudo.

—Es un color divertido —reconoció, haciendo un guiño para mirarla—. Quizás es que me estoy poniendo enfermo.

—Vas a enfermar si no pones todo esto en orden inmediatamente —refunfuñó la señora Bird al entrar—. ¡Mira! ¡Manchas de tinta, cola, pedazos de papel; mis mejores tijeras de coser, mermelada en todo el tapete de la mesa y Dios sabe qué más!

Paddington miró a su alrededor. Todo estaba desastroso.

—Casi he terminado —anunció—. He tenido que apuntar algunas cosas. Estoy escribiendo mis memorias.

Paddington se tomaba su cuaderno de notas muy en serio y pasaba largas horas pegando fotos y escribiendo sus aventuras. Desde que estaba en casa de los Brown le habían ocurrido muchas cosas y ya había llenado más de la mitad de las páginas.

—Bueno, a ver si ordenas todo esto —le dijo la señora Brown—, o no te traeremos pastel. Y ahora cuida de ti mismo. Y cuando venga el panadero no olvides que queremos dos panes —tras eso le dijo adiós y siguió a la señora Bird para salir de la habitación.

—¿Sabe? —dijo la señora Bird cuando penetraban en el coche—. Tengo la impresión de que ese oso se trae algo entre patas. Parecía tener muchas ganas de que nos fuéramos.

—¡Oh! No sé qué puede hacer —contestó la señora Brown—. No estaremos fuera mucho tiempo.

—¡Ah! —replicó la señora Bird en tono sombrío—. Eso es igual. Se ha pasado media mañana merodeando por el pasillo del piso alto. Estoy segura de que trama algo.

El señor Brown, al que tampoco le gustaban mucho las bodas y en secreto deseaba poder quedarse en casa con Paddington, miró por encima del hombro al meter el embrague.

—Quizás yo debiera quedarme también —dijo—. Así podría decorar la nueva habitación.

—¡Vamos, Henry! —replicó la señora Brown con firmeza—. Tienes que venir a la boda. A Paddington no le va a pasar nada por quedarse solo. Es un oso muy capaz. Y en cuanto a esas ganas de decorar la nueva habitación... no has hecho nada en quince días, así que bien puedes esperar otro día más.

La nueva habitación para Paddington se había convertido en un punto de fricción. Ya hacía más de dos semanas que al señor Brown se le había ocurrido iniciar el trabajo de renovación. Pero, hasta ahora, lo único que había hecho fue arrancar de las paredes el empapelado viejo, raspar la pintura de los zócalos de madera y de las jambas de las puertas, quitar el tirador de la puerta y todo lo demás que estaba suelto, o que él había soltado.

Compró también un lote de papel de empapelar de brillante colorido, un poco de lechada y pintura. Luego abandonó la tarea.

En la parte trasera del coche, la señora Bird fingió no haber oído nada. De repente se le había ocurrido una idea y confiaba en que no se le hubiera ocurrido también a Paddington; pero la señora Bird conocía a Paddington mejor que nadie y temía lo peor. No sabía ella que sus temores se estaban convirtiendo en realidad en aquel mismo momento. Paddington estaba muy ocupado garrapateando las palabras "AL FIN" en su cuaderno de notas, y estaba añadiendo, con grandes letras mayúsculas, las ominosas: ENGALANANDO MI NUEVA HABITACIÓN.

Fue precisamente mientras estaba escribiendo "AL FIN" en su cuaderno de notas, cuando se le ocurrió la idea. Paddington se

había fijado ya otras veces en que siempre se le ocurrían las mejores ideas cuando estaba "solo por su cuenta".

Hacía ya varios días que sus pertenencias estaban empaquetadas, dispuestas para la mudanza a su nueva habitación, y él ya se estaba poniendo impaciente. Cada vez que quería algo especial tenía que desatar metros de cuerda y desenvolver metros de papel marrón.

Tras subrayar las palabras en rojo, Paddington lo ordenó todo, cerró su cuaderno de notas cuidadosamente y lo guardó en su maleta, y se apresuró escaleras arriba. Varias veces había ofrecido al señor Brown echarle una pata en las tareas de decoración, mas por una razón u otra el señor Brown rechazaba siempre su ayuda y no le había permitido entrar en la habitación mientras él estaba trabajando. Paddington no acababa de comprender por qué. Estaba seguro de ser un buen ayudante.

La habitación en cuestión era un viejo cuarto de los trastos, que había estado fuera de uso durante cierto número de años. Cuando entró en ella, Paddington halló que era más interesante de lo que había esperado.

Cerró la puerta cuidadosamente tras él y olfateó. Había un excitante olor a pintura y lechada en la atmósfera. Y no sólo eso, sino que había una escalera, una mesa de caballetes, varios pinceles, algunos rollos de papel de empapelar y un gran cubo lleno de lechada.

La habitación tenía también un eco encantador, y él se pasó buen rato sentado en el suelo, escuchando a su nueva voz, mientras agitaba la pintura.

Había tantas cosas diferentes e interesantes alrededor, que resultaba trabajoso decidir qué era lo que podía hacer primero. Finalmente, Paddington se decidió por el pintado. Escogiendo uno de los mejores pinceles del señor Brown, lo mojó en el bote de pintura y luego miró a su alrededor buscando un sitio donde dar pinceladas.

Cuando llevaba varios minutos trabajando con el marco de la ventana, empezó a lamentar no haber empezado en otra parte. El pincel hacía que le doliera el brazo y cuando trató de meter la pata en el bote de pintura, para frotar luego con ella, le pareció que iba más pintura al cristal que al marco de madera, así que la habitación se oscureció.

"Quizá —se dijo Paddington, agitando la brocha en el aire y dirigiéndose a la habitación en general—, quizá si hago el techo

27

primero, pueda cubrir todos los chorreos en la pared con el papel de empapelar."

Pero cuando Paddington empezó a trabajar con la lechada, encontró que era casi tan duro como pintar. Incluso permaneciendo de puntillas en la parte alta de la escalera le costaba mucho trabajo alcanzar el techo. El cubo de lechada era muy pesado para que él pudiera levantarlo, así que tenía que bajar los peldaños cada vez que tenía que mojar el pincel. Y cuando subía con el pincel, la lechada le corría por la pata y dejaba chorreones en su piel.

Mirando a su alrededor, Paddington lamentó seguir "solo por su cuenta". Las cosas estaban empezando a ponerse feas. Él estaba seguro de que la señora Bird tendría algo que decir cuando lo viera.

Fue entonces cuando tuvo una idea genial. Paddington era un oso de recursos y no le gustaba sentirse derrotado. Recientemente se había interesado por una casa que estaban construyendo en las cercanías. La vio por primera vez desde la ventana de su dormitorio y desde entonces había pasado muchas horas hablando con los hombres y observando mientras ellos alzaban las herramientas y el cemento hasta el piso superior por medio de una cuerda y una polea. Una vez, el señor Briggs, el capataz, incluso le había dejado subir a él en el cubo y le permitió poner varios ladrillos.

La casa de los Brown era antigua y en el centro del techo había un enorme gancho, del cual había pendido antaño una gran lámpara. No sólo eso, sino que en un rincón de la habitación había un pequeño rollo de cuerda.

Paddington se puso a trabajar rápidamente. Primero ató un extremo de la cuerda al asa del cubo. Luego subió la escalera y pasó el otro extremo a través del gancho del techo. Pero aun así, cuando bajó de nuevo, necesitó un buen rato para arrastrar el cubo a un sitio cercano a la parte alta de la escalera. Estaba lleno hasta el borde de lechada y era muy pesado, así que tenía que detenerse cada pocos segundos y atar el otro extremo de la cuerda a la escalera por razones de seguridad.

Fue al desatar la cuerda por última vez cuando las cosas empezaron a ir mal. Cuando Paddington cerró los ojos y se echó hacia atrás para el tirón final, de repente sintió, para su sorpresa, que estaba flotando en el aire. Era una sensación muy extraña. Alargó un pie y lo agitó en todas direcciones. Decididamente allí no había nada. Abrió un ojo y casi se soltó de la cuerda, asombrado, al ver el cubo de lechada pasando por su lado mientras bajaba.

De repente, todo pareció ocurrir a la vez. Antes incluso de que pudiera alargar una pata o gritar pidiendo auxilio, su cabeza golpeó en el techo y se oyó un "¡clanc!" mientras el cubo chocaba contra el suelo.

Durante unos segundos Paddington quedó agarrado allí, pataleando en el aire y sin saber qué hacer. Al mirar hacia abajo vio horrorizado que la lechada se estaba saliendo del cubo. Empezó a notar que la cuerda se ponía de nuevo en movimiento conforme el cubo perdía peso; entonces pasó rápidamente otra vez por su lado mientras él descendía para aterrizar, dándose un golpazo, en medio de un mar de lechada.

Pero sus desgracias no habían terminado todavía. Cuando trató de recobrar el equilibrio en el suelo resbaladizo, soltó la cuerda, el cubo cayó abajo de nuevo con terrible estrépito y aterrizó encima de su cabeza, cubriéndosela completamente.

Paddington quedó tumbado de espaldas sobre la lechada durante varios minutos, tratando de recobrar el aliento y preguntándose qué le había golpeado. Cuando logró incorporarse y quitarse el cubo de la cabeza, se lo volvió a poner inmediatamente. Había lechada por todo el suelo, los botes de pintura se habían volcado formando riachuelos color marrón y verde y la gorra de pintor del señor Brown flotaba en un rincón de la habitación. Cuando Paddington la vio, se alegró de haber dejado *su* sombrero abajo.

Una cosa era segura: iba a tener que dar muchas explicaciones. Y eso iba a ser más difícil que de costumbre, porque ni siquiera era capaz de explicarse a sí mismo qué era lo que había salido mal.

Fue un rato después, cuando estaba sentado en el cubo puesto boca abajo y pensando en varios asuntos, cuando se le ocurrió la idea de empapelar. Paddington era optimista por naturaleza y creía

en que habían de verse las cosas de color rosa. Si él empapelaba bien el cuarto, los otros ni siquiera se darían cuenta del revoltijo que había hecho.

Paddington confiaba plenamente en el empapelado. Sin que el señor Brown lo supiera, lo había observado muchas veces anterior-

mente a través de una rendija de la puerta, y le pareció una cosa sencilla. Todo lo que tenía uno que hacer era untar con algo pegajoso la parte de atrás del papel y luego pegarlo a la pared. Las partes de arriba no eran demasiado difíciles, incluso para un oso, porque se podía doblar el papel en dos y poner una escoba en medio, donde estaba el pliegue. Luego simplemente se apretaba con la escoba arriba y abajo de la pared para que no hubiera arrugas desagradables.

Paddington se sentía más animado ahora que había pensado en empapelar. Halló algo de engrudo ya preparado en otro cubo, que puso encima de la mesa de caballetes mientras desenrollaba el papel. Era un poco difícil al principio, porque cada vez que trataba de desenrollar el papel, tenía que trepar por la mesa empujándolo con las patas, mientras que el otro extremo se volvía a enrollar y seguía tras él. Pero, finalmente, logró untar con engrudo todo un pedazo.

Se bajó de la mesa de caballetes, evitando cuidadosamente lo peor de la lechada, que ahora empezaba a secarse en grandes borujos, y alzó la hoja de papel de empapelar con una escoba. Era una hoja de papel muy larga, más larga de lo que le había parecido cuando le puso la pasta, y mientras Paddington ondeaba la escoba sobre su cabeza, empezó a envolverse alrededor de él. Tras un duro forcejeo logró salirse y se encaminó hacia un lado de la pared. Retrocedió y observó el resultado. El papel estaba desgarrado en varios sitios y parecía haber mucho engrudo por la parte visible, pero Paddington se sintió muy complacido de sí mismo. Decidió probar con otro pedazo, luego con otro, corriendo de acá para allá, entre la mesa de caballetes y las paredes, tan de prisa como se lo permitían sus piernas, en un esfuerzo para terminar el trabajo antes de que regresaran los Brown.

Algunos de los pedazos no encajaban, otros estaban pegados encima y en la mayoría de ellos había extraños parches de engrudo y lechada. Ninguno de los pedazos estaba tan recto como a él le habría gustado; pero cuando inclinó la cabeza y guiñó, Paddington vio que el efecto general era muy bonito y se sintió muy complacido de sí mismo.

Cuando echaba la mirada final alrededor de la habitación para contemplar su obra, se dio cuenta de algo muy extraño. Había una ventana y también una chimenea; pero no había la menor señal de puerta. Paddington dejó de guiñar y los ojos se le pusieron cada vez más redondos. Él recordaba bien que había habido una puerta, porque entró a través de ella. Guiñó a las cuatro paredes. Era difícil ver bien porque la pintura en el cristal de la ventana había empezado a secarse y apenas si entraba luz por ella; pero desde luego ¡no había puerta!

—No lo entiendo —dijo el señor Brown al entrar en el comedor—. He buscado por todas partes y no he visto ni rastro de Paddington. Ya te dije que debía quedarme en casa con él.

La señora Brown pareció preocupada.

—¡Oh, cariño! Espero que no le haya ocurrido nada. Es tan impropio de él salir sin dejar una nota.

—No está en su habitación —dijo Judy.

—El señor Gruber tampoco lo ha visto —dijo a su vez Jonathan—. Acabo de venir del mercado y dice que no lo ha visto desde que se tomaron el chocolate juntos esta mañana.

—¿Ha visto usted a Paddington en alguna parte? —preguntó la señora Brown a la señora Bird cuando ésta entró, trayendo una bandeja con cosas para la cena.

—No sé nada de Paddington —contestó la señora Bird—. Bastante jaleo he tenido con las tuberías para echar de menos a un oso. Creo que se les ha metido aire o lo que sea. No dejan de hacer ruidos desde que entramos.

El señor Brown escuchó por un momento.

—Suena como si fueran las tuberías —dijo—. Y, sin embargo, es un ruido bastante regular —salió al vestíbulo—. Es como si dieran golpes...

—¡Atiza! —gritó Jonathan—. Escuchad, ¡parece alguien lanzando un S.O.S.!

34

Todos se miraron y entonces, a una voz, gritaron:

—¡Paddington!

—¡Dios misericordioso! —exclamó la señora Bird, cuando irrumpieron a través de la puerta empapelada—. Debe haber habido un terremoto o algo parecido. Y ése, ¿quién es? ¿Paddington o su fantasma? —y señaló hacia una figura pequeña y blanca que se levantó de un cubo colocado boca abajo para saludarles.

—No podía encontrar la puerta —explicó Paddington con tono quejicoso—. Debí empapelarla cuando hice la decoración. Estaba ahí cuando entré. Recuerdo haberla visto. Y por eso golpeé en el suelo con el mango de una escoba.

—¡Atiza! —exclamó Jonathan con admiración—. ¡Vaya revoltijo!

—Que tú... la empapelaste... cuando... hiciste... la decoración —repitió el señor Brown, que a veces era lento en comprender las cosas.

—Así es —dijo Paddington—. Quería darles una sorpresa —hizo un gesto con la pata alrededor suyo, señalando la habitación—. Me temo que está todo un poco revuelto; pero es que aún no está seco.

Mientras que el señor Brown iba comprendiendo lo que había pasado, la señora Bird acudió en ayuda de Paddington.

—Ahora no serviría de nada el meterse en averiguaciones —dijo—. Lo hecho, hecho está. Y si me preguntan, les diré que a lo mejor ha sido para bien. Ahora vendrán unos decoradores de verdad a hacer el trabajo.

Y diciendo esto, tomó la pata de Paddington y lo condujo fuera de la habitación.

—Y en cuanto a ti, osito —prosiguió—, vas a ir derecho a un baño caliente antes de que ese yeso y la pintura se endurezcan.

El señor Brown miró las siluetas de la señora Bird y Paddington que se alejaban y luego el largo rastro de pisadas y huellas de patas blancas.

—¡Osos! —exclamó con amargura.

Paddington se entretuvo en su habitación un buen rato después del baño y esperó hasta el último minuto para bajar a cenar. Tenía la desagradable sensación de que había caído en desgracia. Mas para sorpresa suya la palabra "decoración" no fue ni siquiera mencionada aquella noche.

Y cosa aún más sorprendente, mientras estaba sentado en su cama tomando el chocolate, varias personas vinieron a verle y cada una le regaló seis peniques. Todo esto era muy misterioso; pero Paddington no quiso preguntar nada, no fueran a cambiar de idea.

Fue Judy la que le resolvió el enigma cuando fue a darle las buenas noches.

—Espero que mamá y la señora Bird te hayan dado seis peniques cada una, porque ellas no quieren que papá haga más trabajos de decoración —le explicó—. Él siempre empieza las cosas y nunca las termina. Y confío en que papá te dé un chelín porque él en reali-

dad no quería acabar el trabajo. Y ahora que va a venir un decora-
dor de verdad, todo el mundo está contento.

Paddington sorbió su chocolate pensativo.

—Quizá si arreglara otra habitación me ganaría otro chelín y
seis peniques —dijo.

—¡Oh, no! ¡No lo hagas! —exclamó Judy con firmeza—. Ya has
hecho mucho por un día. Si yo fuera tú, no mencionaría la palabra
"decoración" en mucho tiempo.

—Puede que tengas razón —dijo Paddington adormilado, mientras estiraba las patas—; pero yo estaba "solo por mi cuenta".

CAPÍTULO III

PADDINGTON DETECTIVE

El viejo cuarto de los trastos quedó al fin terminado y todos incluyendo Paddington, se mostraron de acuerdo en que era él un oso muy afortunado al poder mudarse a tan bonita habitación. No sólo la pintura era de un blanco reluciente, de modo que casi podía verse la cara en ella, sino que las paredes estaban alegremente empapeladas e incluso tenía un mobiliario nuevo.

—¡Qué más da un penique que una libra! —había dicho el señor Brown. Y le compró a Paddington una cama nueva con patas cortas especiales, un colchón de muelles y una cómoda para que metiera sus cosas.

Había también otras piezas de mobiliario y el señor Brown había tirado la casa por la ventana al comprar una gruesa alfombra para el suelo. Paddington estaba muy orgulloso de su alfombra y cuidadosamente extendió varios periódicos viejos sobre las partes por las cuales él pasaba, con la finalidad de no ensuciarla con sus patas.

La contribución de la señora Bird habían sido unas alegres cortinas nuevas para las ventanas, que a Paddington le gustaban mucho. La primera noche que pasó en su nueva habitación no supo decidirse si mantenerlas corridas para admirarlas o descorridas para contemplar el paisaje. Se levantó de la cama varias veces y finalmente decidió que tendría una cortina corrida y otra descorrida de modo que pudiera disfrutar de ambas cosas.

Luego algo extraño llamó su atención. Paddington se empeñó en tener una linterna al lado de la cama por si había una emergencia durante la noche, y mientras la estaba encendiendo y apagando para admirar la cortina corrida se fijó en ello. Cada vez que él encendía la linterna, se encendía también una lucecita en algún punto del exterior. Se incorporó en la cama, frotándose los ojos, y miró fijamente en dirección a la ventana.

Decidió probar con una señal más complicada. Dos destellos cortos seguidos por varios largos. Cuando hizo eso, por poco no se cae de la cama de sorpresa, porque cada vez que enviaba una señal, ésta era repetida exactamente a través del cristal.

Paddington saltó de la cama y corrió hacia la ventana. Permaneció allí un buen rato atisbando el jardín; pero no logró ver nada. Tras asegurarse de que la ventana estaba bien cerrada, corrió ambas cortinas y se apresuró a volver a la cama, subiéndose las sábanas por encima de la cabeza un poco más de lo usual. Todo aquello era muy misterioso y Paddington no quería correr riesgos.

Durante el desayuno, a la mañana siguiente, el señor Brown le dio la primera pista.

40

—Alguien ha robado mi calabacín —anunció enfadado—. Deben habérselo llevado durante la noche.

Ya hacía algunas semanas que el señor Brown cuidaba con gran mimo un enorme calabacín que pensaba presentar en una exposición de horticultura. Lo regaba por la mañana y por la tarde y lo medía cada noche antes de irse a la cama.

La señora Brown intercambió una mirada con la señora Bird.

—No te preocupes, Henry querido —le dijo—. Tienes otros casi igual de hermosos.

—Claro que me preocupo —refunfuñó el señor Brown—. Los otros nunca serán tan grandes y no estarán en su punto para la exposición.

—Puede que haya sido alguno de tus competidores, papá —dijo Jonathan—. Tal vez no quería que tú ganaras. Era un calabacín estupendo.

—Es muy posible —contestó el señor Brown, pareciendo muy complacido ante la idea—. Se me ha ocurrido ofrecer una pequeña recompensa.

La señora Bird se apresuró a servir más té. Tanto ella como la señora Brown parecían ansiosas por cambiar de conversación. Pero Paddington aguzó el oído al oír hablar de una recompensa. Tan pronto como hubo acabado su tostada con mermelada, pidió que lo excusaran y desapareció escaleras arriba sin ni siquiera tomarse una tercera taza de té.

Mientras la señora Brown estaba ayudando a la señora Bird a fregar los platos, se dio cuenta de que algo raro estaba ocurriendo en el jardín.

—¡Mire! —exclamó asombrada, casi dejando caer uno de los platos del desayuno—. ¿Qué es aquello que se ve detrás de las calabazas?

La señora Bird siguió su mirada a través de la ventana y vio un bulto marrón e informe moviéndose bruscamente arriba y abajo. Su rostro se iluminó:

—Es Paddington —dijo—. Reconocería su sombrero en cualquier parte.

—¿Paddington? —repitió la señora Brown—. Pero, ¿qué demonios hace arrastrándose entre las calabazas a cuatro patas?

—Parece como si hubiera perdido algo —dijo la señora Bird—. Lleva la lente de aumento del señor Brown.

La señora Brown suspiró.

—¡Bueno! Pronto lo sabremos.

Sin darse cuenta del interés que estaba despertando, Paddington se sentó tras un frambueso y abrió un cuadernito de notas por una página en la que se leía LISTA DE INDICIOS.

Paddington había estado leyendo recientemente una novela de misterio que le prestó el señor Gruber y empezó a imaginarse como un detective. Los destellos misteriosos de la noche anterior y la pérdida del calabacín del señor Brown, le convencieron de que al fin había llegado su oportunidad.

Pero hasta aquel momento no había recibido más que desilusiones. Había encontrado varias huellas de pisadas; pero el rastro llevaba a la casa. En el gran agujero dejado por el calabacín del señor Brown había dos escarabajos muertos y un paquete de semillas vacío; pero eso era todo.

No obstante, Paddington anotó cuidadosamente los detalles en su cuaderno de notas y dibujó un mapa del jardín (poniendo una gran X para señalar el sitio donde estuviera el calabacín). Luego volvió al primer piso, a su habitación, para meditar. Cuando llegó allí hizo otra adición a su mapa y trazó un plano de la nueva casa que se estaba construyendo al otro lado del jardín. Se la quedó mirando a través de sus gemelos de teatro durante un rato; pero las únicas personas que pudo ver eran los albañiles.

Poco después, cualquiera que hubiese estado observando la casa de los Brown habría visto salir un osito por la puerta principal y dirigirse hacia el mercado. Por suerte para los planes de Paddington, nadie le vio salir, ni tampoco nadie le vio regresar un rato después llevando un gran paquete en sus brazos. Sus ojos brillaban de excitación mientras subía las escaleras y entraba en su dormitorio, cerrando cuidadosamente la puerta tras él. A Paddington le gustaban los paquetes y éste era particularmente interesante.

Tardó buen rato en deshacer los nudos de la cuerda porque las patas le temblaban de emoción; pero cuando logró retirar el papel, apareció una larga caja de cartón, brillantemente coloreada, con las palabras EQUIPO DE DISFRAZ DE MAESTRO DETECTIVE en la parte delantera.

Paddington había estado luchando consigo mismo desde que lo vio por primera vez, hacía unos días, en un escaparate. Aunque los seis chelines que costaba le parecieron un precio muy caro (especialmente para alguien que sólo tenía un chelín y seis peniques como dinero de bolsillo a la semana), Paddington se sintió muy complacido de sí mismo cuando vació el contenido en el suelo. Había una larga barba negra, unas gafas con cristales oscuros, un silbato de la policía, varias botellas de productos químicos con la etiqueta "Manéjese con Cuidado" (que Paddington volvió a meter en la caja apresuradamente), un tampón para huellas dactilares, una botellita de tinta invisible y un libro de instrucciones.

Parecía un equipo de disfraz muy bueno. Paddington probó a escribir su nombre en la tapa de la caja con tinta invisible y no vio nada. Luego probó el tampón de huellas dactilares con su pata y sopló varias veces el silbato de la policía debajo de las sábanas. Ojalá lo hubiera hecho al revés, pues mucha tinta se derramó en las sábanas, lo cual iba a ser difícil de explicar.

Pero lo que más le gustaba de todo era la barba. Tenía dos alambres para encajarla en las orejas y cuando se volvió y de repente se vio en el espejo tuvo un sobresalto. Con el sombrero puesto y un viejo impermeable de Jonathan, que la señora Brown había

apartado para un baratillo benéfico, apenas si podía reconocerse a sí mismo. Después de estudiar el efecto en el espejo desde todos los ángulos posibles, Paddington decidió probar abajo. Le era difícil andar; el impermeable de Jonathan era demasiado largo para él y lo llevaba arrastrando. Por añadidura, sus orejas no parecían sujetar la barba como a él le habría gustado, así que tuvo que agarrársela con una pata al bajar las escaleras, sujetándose a la barandilla con la otra. Iba tan atento a lo que hacía, que no oyó subir a la señora Bird hasta que ésta tropezó con él.

La señora Bird pareció muy sorprendida al encontrarlo.

—¡Oh, Paddington! —empezó a decir—. Ahora subía a verte. ¿Te importaría ir al mercado por mí y traerme media libra de mantequilla?

—Yo no soy Paddington —dijo una voz gruñona desde detrás de la barba—. Soy Sherlock Holmes, el famoso detective.

—Sí, cariño —dijo la señora Bird—; pero no olvides la mantequilla. La necesitamos para el almuerzo.

Y diciendo eso se volvió y bajó las escaleras en dirección a la cocina, donde Paddington oyó un murmullo de voces.

45

Se quitó la barba desilusionado.

—¡El valor de treinta y seis bollos! —exclamó con amargura, sin dirigirse a nadie en particular. Casi le entraron ganas de volver a la tienda y pedir que le devolvieran su dinero. Treinta y seis bollos eran treinta y seis bollos, y a él le había costado mucho tiempo para ahorrar ese dinero.

Pero cuando salió por la puerta principal vaciló. Le parecía una lástima desperdiciar su disfraz, y aunque la señora Bird lo hubiera reconocido, el señor Briggs, capataz de la obra de al lado, tal vez no. Paddington decidió probar una vez más. Incluso podría encontrar más pistas.

Para cuando llegó a la casa nueva se sentía más complacido de sí mismo. Con el rabillo del ojo se dio cuenta de que mucha gente se lo quedaba mirando al pasar. Y cuando él les devolvió la mirada por encima de las gafas, muchos se apresuraron a cruzar al otro lado de la calle.

Se deslizó por el exterior de la casa hasta que oyó voces. Parecían venir de una ventana abierta del primer piso y él reconoció claramente la voz del señor Briggs entre ellas. Había una escalera apoyada contra la pared y Paddington trepó por ella hasta que su cabeza estuvo al nivel del antepecho de la ventana. Entonces atisbó cuidadosamente por encima del borde.

El señor Briggs y sus hombres estaban muy ocupados alrededor de una pequeña estufa, preparándose una taza de té. Paddington miró con dureza al señor Briggs, que estaba vertiendo un poco de agua en la tetera, y luego, tras ajustarse la barba, dio un largo soplido a su silbato de la policía.

Se oyó un ruido de porcelana al romperse cuando el señor Briggs se sobresaltó. Luego señaló con mano temblorosa en dirección a la ventana.

—¡Caray! —gritó—. ¡Mirad, una aparición!

Los otros siguieron la indicación, boquiabiertos. Paddington se quedó el tiempo justo para ver cuatro caras pálidas que lo miraban fijamente y luego bajó por la escalera a cuatro patas y se escondió tras un montón de ladrillos. Casi inmediatamente resonó un ruido de voces excitadas en la ventana.

—Ahora no lo veo —dijo una voz—. Debe haber desaparecido.

—¡Caray! —repitió el señor Briggs, secándose la sien con un pañuelo manchado—. Fuera lo que fuese, no quiero volver a verlo. Me ha dejado helado hasta la médula.

Y diciendo eso, cerró de golpe la ventana y las voces se extinguieron.

Desde detrás del montón de ladrillos Paddington apenas si pudo creer a sus oídos. Nunca hubiera imaginado que el señor Briggs y sus hombres pudieran estar mezclados en el asunto. Y no obstante, él había oído decir al señor Briggs bien claramente que le había dejado helado hasta la médula. Y en el idioma inglés, ¿no había una sola palabra para "médula" y "calabacín"?

Tras quitarse la barba y las gafas oscuras, Paddington se sentó tras los ladrillos y tomó varias notas en su libro con tinta invisible. Luego, pensativo, con pasos lentos se encaminó hacia la tienda de comestibles.

Había pasado un buen día investigando. Paddington decidió hacer otra visita a las obras del edificio cuando todo estuviera ya tranquilo.

Era medianoche. Todos los de la casa estaban ya en la cama.

—¿Sabes? —dijo la señora Brown, justo cuando el reloj estaba dando las doce—. Tiene gracia; pero estoy segura de que Paddington está tramando algo.

—Eso no tiene ninguna gracia —replicó el señor Brown, soñoliento—. Él siempre está tramando *algo*. ¿Qué será esta vez?

—Eso es lo malo —dijo la señora Brown—, que no lo sé; pero ha estado dando vueltas esta mañana llevando una barba postiza. Le dio un buen susto a la pobre señora Bird. Y ha estado escribiendo en su cuaderno de notas toda la tarde, y ¿sabes qué?

—No —contestó el señor Brown ahogando un bostezo—. ¿Qué?

—Cuando miré por encima del hombro, ¡no había nada escrito!

—Bueno, los osos son osos —dijo el señor Brown. Se detuvo un momento al alargar la mano para apagar la luz—. Es extraño —dijo—. Juraría que he oído un silbato de la policía.

—Tonterías, Henry —contestó la señora Brown—. Debes estar soñando.

El señor Brown se encogió de hombros y apagó la luz. Estaba demasiado cansado para discutir. De todos modos, estaba seguro de haber oído un pitido. Pero al cerrar los ojos y disponerse a dormir, no le pasó por la mente la idea de que el causante pudiera ser Paddington.

A Paddington le habían estado ocurriendo muchas cosas desde que salió de casa de los Brown al amparo de la oscuridad para dirigirse a la obra en construcción. Le habían ocurrido tantas cosas, una detrás de otra, que casi se arrepintió de haber querido ser detective. Se sintió muy contento cuando, en respuesta a varios pitidos fuertes de su silbato, un gran coche negro se detuvo junto al bordillo de la acera y salieron dos hombres uniformados.

—¡Hola, hola! —exclamó el primero de los dos hombres, mirando con dureza a Paddington—. ¿Qué es lo que pasa aquí?

Paddington señaló con un gesto dramático de su pata en dirección a la casa nueva.

—¡He capturado a un ladrón! —anunció.

—¿Un qué? —preguntó el segundo policía, mirando fijamente a Paddington.

Él había topado con cosas muy raras en el cumplimiento de su deber; pero nunca hasta entonces había sido llamado a medianoche

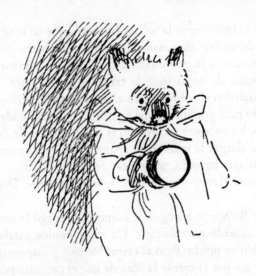

por un osito. Éste llevaba una larga barba negra y una siberiana.
Era una cosa muy rara.

—Un ladrón —repitió Paddington—. Creo que es el que se llevó
el calabacín del señor Brown.

—¿El calabacín del señor Brown? —repitió el primer policía,
más bien perplejo, mientras seguía a Paddington a través de su
entrada secreta a la casa.

—Así es —dijo Paddington—. Y se ha quedado con mis bocadillos de mermelada. Llevé conmigo un gran paquete de ellos por
si sentía hambre mientras tenía que esperar, y los dejé dentro.

—Claro —dijo el segundo policía, tratando de seguir el humor
de Paddington—. Bocadillos de mermelada —se dio con un dedo
en la frente mientras miraba a su colega—. ¿Y dónde se ha metido
ese ladrón que se está comiendo tus bocadillos?

—Lo encerré en la habitación —respondió Paddington—, y puse
debajo de la puerta una cuña de madera para que no pudiera salir.
Mi barba quedó atrapada en uno de los bocadillos, así que encendí

la linterna para quitar los pelos de la mermelada, y entonces ¡pasó todo!

—¿Qué pasó? —repitió el policía. Les costaba un poco de trabajo seguir el relato de los acontecimientos que estaba haciendo Paddington.

—Vi a alguien que centelleaba una luz fuera de la ventana —explicó Paddington con toda la paciencia que pudo—. Luego oí pasos que subían por la escalera, así que esperé —indicó hacia una puerta en la parte alta de la escalera—. ¡Está ahí dentro!

Antes de que ninguno de los dos policías pudiera hacer más preguntas, se oyeron golpes y una voz gritó:

—¡Déjenme salir!

—¡Santo Dios! —exclamó el primer policía—. ¡Hay alguien ahí dentro! —se quedó mirando a Paddington con renovado respeto—. ¿Puede hacerme la descripción, señor?

—Tiene unos dos metros y medio de estatura —dijo Paddington atolondradamente— y se puso muy enfadado al ver que no podía salir.

—¡Hum! —exclamó el segundo policía—. Pronto veremos eso. ¡Apártese! —Y diciendo eso retiró el pedazo de madera que había bajo la puerta y la abrió de par en par, al tiempo que iluminaba la habitación con su linterna.

Todo el mundo retrocedió y esperó a que sucediera lo peor. Pero, para asombro de todos los reunidos, el hombre que salió era otro policía.

—¡Encerrado! —exclamó con amargura—. Veo unas luces centelleando en una casa vacía, entro a investigar... y, ¿qué ocurre? ¡Soy encerrado... por un oso! —señaló a Paddington—. ¡Y si no me equivoco es éste!

Paddington empezó a sentirse de pronto muy pequeñito. Tres policías le estaban mirando y en su excitación la barba le había caído de una oreja.

—¡Hum! —exclamó el primer policía—. Y, ¿qué estabas haciendo tú en una casa vacía, pasada la medianoche, joven oso? ¡Y disfrazado de esa manera! Ya veo que tendremos que llevarte a la comisaría para interrogarte.

—Es un poco difícil de explicar —contestó Paddington tristemente—. Me temo que voy a necesitar mucho tiempo. Ya ve... todo tiene que ver con el calabacín del señor Brown, el que iba a presentar en la exposición de horticultura.

Los policías no fueron los únicos a quienes costó trabajo comprender. El señor Brown seguía haciéndose preguntas mucho después de que la policía devolviera al osito a su custodia.

—No comprendo qué tiene que ver la pérdida de mi calabacín con que detengan a Paddington. No veo la relación —dijo por centésima vez.

—Pero Paddington no fue detenido, Henry —dijo la señora Brown—. Sólo se lo llevaron para interrogarlo. De todos modos, sólo trataba de que tú recuperaras tu calabacín. Debes estarle agradecido.

Ella suspiró. Tendría que decirle la verdad a su esposo, más pronto o más tarde. Ya se la había dicho a Paddington.

—Me temo que la culpa de todo ha sido mía —dijo—. ¿Sabes? ¡Yo corté tu calabacín por error!

—¿Fuiste tú? —inquirió el señor Brown—. ¿Tú cortaste mi hermoso calabacín?

—Bueno, no me di cuenta de que era el que reservabas para la exposición. ¡Nos lo comimos anoche para cenar!

Paddington se sintió muy complacido consigo mismo cuando estuvo de nuevo en su habitación y se fue a la cama. Tendría mucho que contarle a su amigo, el señor Gruber, por la mañana. En cuanto el inspector de la comisaría de policía oyó la historia completa, cumplimentó a Paddington por su valentía y ordenó su inmediata puesta en libertad.

—Me gustaría que hubiese más osos como usted, señor Brown —le dijo. Y regaló a Paddington, como recuerdo, un silbato de la policía de verdad. Incluso el policía que había sido encerrado dijo que ahora comprendía cómo había sucedido todo.

Además, había resuelto al final el misterio de las luces centelleantes. Nunca hubo nadie en el jardín, sino que era simplemente el reflejo de su linterna en la ventana. Cuando él se incorporaba en la cama, se veía la luz espejeando en el cristal.

En cierto modo, Paddington sentía lo del calabacín. Especialmente porque no recibiría la recompensa. Pero le alegraba mucho que el señor Briggs no fuera culpable. El señor Briggs le caía simpático y, además, éste le había prometido darle otro paseo en su cubo. Y eso era algo que él no quería perderse.

CAPÍTULO IV

LA NOCHE DE LAS HOGUERAS

Poco después de la aventura del calabacín, el tiempo cambió y empezó a ser más frío. Las hojas cayeron de los árboles y por las tardes oscurecía pronto. Jonathan y Judy volvieron a la escuela y Paddington se quedaba solo la mayor parte del día.

Pero una mañana, hacia finales de octubre, llegó una carta con su nombre en el sobre. Llevaba, además, las palabras "Urgente" y "Estrictamente personal", y la letra era de Jonathan. Paddington no recibía muchas cartas, sólo alguna postal que de vez en cuando le mandaba su tía Lucy, así que le parecía más emocionante.

En cierto modo, era una carta más bien misteriosa, y Paddington no pudo verle pies ni cabeza. En ella, Jonathan le pedía que recogiera todas las hojas secas que pudiera hallar y que hiciera con ellas un montón para cuando él llegara a casa, dentro de unos días. Paddington estuvo perplejo mucho tiempo, y al final decidió consultar a su amigo, el señor Gruber, sobre el tema. El señor Gruber lo sabía casi todo y aun cuando no pudiera darle una respuesta inmediata, tenía una enorme biblioteca llena de libros en su tienda de antigüedades y sabía dónde buscar. Él y Paddington a menudo hablaban de temas variados mientras tomaban su taza de chocolate matinal, y al señor Gruber nada le gustaba más que ayudar a Paddington a resolver sus problemas.

—Un problema compartido es sólo medio problema, señor Brown —le gustaba decir—. Y debo añadir que, desde que usted se vino a vivir al barrio, no me han faltado cosas de que ocuparme.

Tan pronto como hubo acabado su desayuno, Paddington se puso la bufanda y la siberiana, cogió la lista matinal de compras de la señora Bird, y se marchó hacia Portobello Road.

A Paddington le gustaba comprar. Era un oso muy popular entre los vendedores del mercado, aunque generalmente era un regateador empedernido. Siempre comparaba los precios de los diferentes puestos muy cuidadosamente antes de comprar nada. La señora Bird decía que conseguía mejor que nadie que cundiera el dinero para los gastos de la casa.

Afuera hacía más frío del que Paddington había esperado, y cuando se detuvo para mirar el escaparate de una tienda que le pillaba de camino, su aliento hizo que la parte baja del escaparate se empañara. Paddington era un oso cortés, y cuando vio que el tendero le miraba con furia a través de la puerta, frotó con cuidado la parte vaporosa con su pata por si otra persona quería mirar. Al hacerlo se dio cuenta de que el interior del escaparate había cambiado desde la última vez que pasó por allí.

Antes, estaba lleno de chocolates y dulces. Ahora había desaparecido todo eso y en su lugar había un maniquí de aspecto andrajoso sentado sobre un montón de troncos. Sostenía un letrero en la mano que decía:

RECUERDA, RECUERDA, EL CINCO DE NOVIEMBRE
PÓLVORA, TRAICIÓN Y CONSPIRACIÓN.

Y debajo, otro letrero aún más grande aconsejaba:

¡COMPRE AQUÍ SUS FUEGOS ARTIFICIALES!

Paddington se lo quedó mirando durante un momento y luego se apresuró a ir a casa del señor Gruber, deteniéndose sólo para comprar su provisión matinal de bollos en la panadería, donde hacía siempre un pedido fijo.

Ahora que el tiempo frío imperaba, el señor Gruber ya no se sentaba en una silla puesta en la acera, delante de su tienda. En cambio, había dispuesto un sofá junto a la estufa, en la trastienda. Era un rincón muy cómodo, rodeado de libros; pero a Paddington no le gustaba tanto como estar afuera. Sobre todo porque el sofá era viejo y de él salían algunas cerdas; pero pronto se olvidó de esto cuando entregó al señor Gruber su parte de los bollos y empezó a contarle las cosas de interés que le habían sucedido aquella mañana.

—¿Pólvora, traición y conspiración? —preguntó el señor Gruber, mientras entregaba a Paddington un gran jarro de chocolate humeante—. Bueno, eso es el día de Guy Fawkes.

Sonrió como excusándose y limpió el vaho de sus gafas cuando vio que Paddington aún parecía perplejo.

—Siempre me olvido, señor Brown —dijo—, que usted viene de los bosques del Perú. No creo que sepa quién era Guy Fawkes.

Paddington se limpió el chocolate de los bigotes con el dorso de su pata para que no le quedara una mancha, y meneó la cabeza.

—Bueno —prosiguió el señor Gruber—. Espero que haya visto antes fuegos artificiales. Creo recordar que cuando estuve en América del Sur, hace muchos años, allí también los había en días de fiesta.

Paddington asintió. Ahora que el señor Gruber lo mencionaba, recordaba que su tía Lucy lo llevó a ver un gran castillo de fuegos artificiales. Aunque entonces era muy pequeño, le gustó mucho.

—Aquí sólo tenemos fuegos artificiales una vez al año —explicó el señor Gruber—. El cinco de noviembre.

Luego prosiguió contándole a Paddington lo de la conspiración para volar el edificio del Parlamento, hacía muchos años, y cómo fue descubierta en el último momento, lo cual se celebraba desde entonces encendiendo hogueras y disparando fuegos artificiales.

El señor Gruber era muy bueno explicando cosas y Paddington se lo agradeció cuando hubo terminado.

El señor Gruber suspiró y en sus ojos apareció una mirada ausente.

—Hace mucho tiempo que no he quemado fuegos artificiales propios, señor Brown —le dijo—. Hace muchísimo tiempo.

—Pues bien, señor Gruber —contestó Paddington dándose importancia—, creo poder anunciarle que vamos a quemar un castillo de fuegos artificiales. Y usted debe venir a verlo con nosotros, por supuesto.

El señor Gruber pareció tan complacido al ser invitado, que Paddington se apresuró para terminar sus compras. Estaba ansioso por volver de nuevo a la tienda, con objeto de poder investigar bien los fuegos artificiales.

Cuando entró en la tienda, el hombre se lo quedó mirando dubitativo por encima del mostrador.

—¿Fuegos artificiales? —preguntó—. No estoy seguro de que esté permitido vender fuegos artificiales a los ositos.

Paddington le dedicó una mirada dura.

—En los oscuros bosques del Perú —dijo recordando todo lo que el señor Gruber le había dicho—, tenemos fuegos artificiales todos los días de fiesta.

—No le voy a contradecir —replicó el hombre—; pero aquí no estamos en los oscuros bosques del Perú, ni nada parecido. ¿Qué quiere usted, petardos, o de la otra clase?

—Quisiera probar con algo que se pueda agarrar con la pata, para empezar —contestó Paddington.

El hombre vaciló.

—Muy bien —dijo—. Le daré un paquete de las mejores candelas romanas. Pero si se quema los bigotes, luego no me venga refunfuñando y exigiendo que le devuelva el dinero.

Paddington prometió que sería muy cuidadoso y se apresuró luego calle arriba hacia la casa de los Brown. Al doblar la última esquina tropezó con un muchacho que empujaba un cochecito de niño.

El muchacho le alargó una gorra que contenía varias monedas de cobre y se llevó la mano al sombrero respetuosamente.

—Un penique para el Guy, señor.

—Muchas gracias —dijo Paddington, cogiendo un penique de la gorra—. Es muy amable de su parte.

—¡Oiga! —gritó el muchacho cuando Paddington se volvía para irse—. Es usted el que me tiene que dar el penique, y no coger uno.

Paddington lo miró fijamente.

—¿Que le dé un penique? —contestó, apenas creyendo a sus oídos—. ¿Para qué?

—Para el Guy, claro —repuso el muchacho—. Eso es lo que le he dicho, un penique para el Guy —señaló el cochecito de niño y Paddington se fijó entonces en que había un muñeco dentro. Estaba vestido con un traje viejo y llevaba una máscara. Se parecía al que había visto en el escaparate un rato antes.

Paddington se sintió tan sorprendido, que abrió su maleta y echó un penique en el sombrero del muchacho antes de saber realmente qué estaba haciendo.

—Si no quiere dar un penique para el Guy —dijo el muchacho mientras se volvía para irse—, ¿por qué no se hace uno propio? Todo lo que necesita es un traje viejo y un poco de paja.

Paddington recorrió muy pensativo el resto de su camino a casa. Casi se olvidó de pedir una segunda ración en el almuerzo.

—Espero que no se le haya ocurrido una de sus ideas —dijo la señora Brown, cuando Paddington pidió que le excusaran y desapareció en el jardín—. No es propio de él que haya que recordarle que repita. Especialmente cuando hay asado. Generalmente le gustan mucho las bolas de pasta rellena.

—Imagino que se le ha ocurrido una idea —dijo la señora Bird en tono ominoso—. Conozco las señales.

—Bueno, espero que el aire fresco le sentará bien —dijo la señora Brown, mirando a través de la ventana—. Y ha sido muy atento al ofrecerse a recoger las hojas. ¡El jardín estaba tan sucio!

—Estamos en noviembre —dijo la señora Bird—. ¡Guy Fawkes!

—¡Oh! —exclamó la señora Brown—. ¡No había caído!

Durante la hora siguiente, Paddington se lo pasó en grande en el jardín con la pala de recoger basura y la escoba de la señora Bird. En el jardín del señor Brown había algunos árboles, así que pronto tuvo un buen montón de hojas, de una altura casi el doble que la suya, en medio de lo que había sido el sembrado de calabazas. Cuando se sentó un rato para descansar en medio de un parterre, se dio cuenta de que alguien le estaba mirando.

Levantó los ojos y vio al señor Curry, el vecino más cercano de los señores Brown, que le estaba mirando con suspicacia por encima del cercado. El señor Curry no sentía mucha simpatía por los osos y siempre estaba tratando de pillar a Paddington en algo que no debiera hacer, para luego chivarse. En el barrio tenía fama de ser antipático y desagradable, y los Brown se trataban con él lo menos posible.

—¿Qué estás haciendo, oso? —refunfuñó a Paddington—. Espero que no pensarás prender fuego a esas hojas.

—¡Oh, no! —exclamó Paddington—. Son para Guy Fawkes.

—¡Fuegos artificiales! —rezongó el señor Curry malhumorado—. Son peligrosos, hacen mucho ruido y asustan a la gente.

Paddington, que había estado jugando con la idea de probar una de sus candelas romanas, se apresuró a esconder el paquete detrás de su espalda.

—Entonces, ¿usted no tendrá fuegos artificiales, señor Curry? —le preguntó cortésmente.

—¿Fuegos artificiales? —el señor Curry se quedó mirando a Paddington con disgusto—. ¿Yo? No puedo permitirme ese lujo, oso. Es tirar el dinero. Y lo que es más, si alguien tira uno a mi jardín, lo denunciaré a la policía.

Paddington se alegró de no haber probado la candela romana.

—Ten en cuenta, oso —un brillo de astucia relució en la mirada del señor Curry, mientras observaba a su alrededor precavidamente para asegurarse de que nadie más le estaba escuchando—, que si alguien quisiera invitarme a una sesión de fuegos artificiales, eso ya sería diferente.

Hizo un gesto a Paddington por encima de la cerca y susurró algo en su oído. Mientras Paddington escuchaba, la cara se le fue poniendo más y más larga y sus bigotes empezaron a combarse.

—Eso no tiene ninguna gracia —comentó la señora Bird más tarde, aquel mismo día, cuando se enteró de que el señor Curry se había invitado por sí solo a la sesión de fuegos artificiales—. ¡Asustar a un osito amenazándole con la policía! Y todo porque es demasiado tacaño para comprar sus propios fuegos artificiales. Si me lo hubiera pedido a mí, le habría contestado un par de cosas.

—¡Pobre Paddington! —exclamó la señora Brown—. Parecía muy alterado. ¿Dónde está ahora?

—No lo sé —contestó la señora Bird—. Ha ido a alguna parte a buscar paja. Supongo que tendrá algo que ver con la hoguera.

Volvió al tema del señor Curry.

—¡Cuando pienso en todos los recados que el osito le hace! ¡Del modo cómo llega a cansarlo! Sólo porque es demasiado perezoso para ir él mismo.

—Se aprovecha de la gente —comentó la señora Brown—. ¡Vaya!, si hasta ha dejado su traje viejo en el porche, esta mañana, para que lo recogiera nuestra lavandería y se lo lavara.

—¿Eso hizo? —preguntó la señora Bird poniendo cara seria—. ¡Bueno! ¡Ya lo veremos! —se apresuró hacia la puerta principal y luego llamó a la señora Brown—. ¿Ha dicho usted que en el porche?

—Eso es —replicó la señora Brown—. En el rincón.

—Pues ya no está ahí —replicó la señora Bird—. Alguien se lo habrá llevado.

—¡Qué raro! —exclamó la señora Brown—. No he oído llamar a nadie. Y el de la lavandería no ha venido aún. Es muy extraño.

—Le servirá de escarmiento —dijo la señora Bird, mientras volvía a la cocina—. Si alguien se lo ha llevado le servirá de lección.

A pesar de su aspecto adusto, la señora Bird era una buenísima persona, una bendita de Dios; pero se ponía muy enfadada cuando la gente se aprovechaba de otros, especialmente de Paddington.

—¡Oh, bueno! —exclamó la señora Brown—. Ya se aclarará todo. A ver si me acuerdo de preguntarle a Paddington si él lo ha visto al entrar.

Paddington estuvo fuera mucho tiempo, así que cuando volvió la señora Brown se había olvidado ya del asunto. Hacía rato que había oscurecido cuando él entró en el jardín por la puerta trasera. Fue empujando su cesta por el sendero hasta llegar al cobertizo del señor Brown y luego, tras un forcejeo, logró levantar un gran objeto, sacándolo de la cesta, y colocarlo en un rincón tras el cortacésped. Había también una cajita de cartón con el letrero GUY FAWKES, que producía ruido de matraca cuando se la sacudía.

Paddington cerró la puerta del cobertizo, escondió cuidadosamente la caja bajo su sombrero y luego salió con disimulo del jardín. Había hecho un buen trabajo aquella tarde (mucho mejor de lo que él había esperado) y por la noche, antes de irse a dormir, pasó un buen rato escribiendo una carta a Jonathan en la cual se lo contaba todo.

—¡Atiza, Paddington! —exclamó Jonathan, varios días más tarde, cuando ya estuvieron listos para la sesión de fuegos artificiales—. ¡Qué fuegos artificiales más estupendos! —miró en la caja de cartón, que estaba casi llena—. Nunca había visto tantos.

—Con sinceridad, Paddington —dijo Judy, admirada—. Cualquiera diría que has ido recogiendo dinero por la calle o algo así.

Paddington movió una pata vagamente en el aire e intercambió una mirada cómplice con Jonathan. Pero antes de que tuviera tiempo de explicar nada a Judy, el señor Brown entró en la habitación.

Vestía abrigo y botas de goma, y llevaba una vela encendida.

—Bien —dijo—. ¿Estamos todos listos? El señor Gruber está esperando en el vestíbulo y la señora Bird ya ha sacado las sillas a la veranda.

El señor Brown tenía tantas ganas como los demás de empezar la sesión de fuegos artificiales y miró con envidia la caja de Paddington.

—Propongo —dijo alzando la mano para pedir silencio cuando todos estuvieron ya afuera, en el jardín—, que siendo este el primer cinco de noviembre de Paddington, dejemos que él dispare el primer cohete.

—¡Vale! ¡Vale! —aplaudió el señor Gruber—. ¿De qué clase le gusta, señor Brown?

Paddington miró pensativo a la caja. Los había de tantas formas y tamaños que era difícil decidirse.

—Creo que primero quiero uno de esos que se pueden sostener con la pata —dijo—. Quiero una candela romana.

—Mala cosa las candelas —opinó el señor Curry, que estaba sentado en la mejor silla comiendo un bocadillo de mermelada.

—Si Paddington quiere una candela romana, la tendrá —dijo la señora Bird, dedicando al señor Curry una mirada glacial.

El señor Brown entregó a Paddington la vela, teniendo cuidado de que el chorreo ardiente de la cera no se derramara sobre su piel, y hubo una ronda de aplausos cuando la candela empezó a chisporrotear. Paddington la agitó sobre su cabeza varias veces y hubo otra ronda de aplausos cuando la subió y bajó para trazar las letras P-A-D-I-N-G-T-U-N.

—Muy efectivo —dijo el señor Gruber.

—Pero así no es como se escribe Paddington —refunfuñó el señor Curry, con la boca llena de bocadillo.

—Es como yo lo pronuncio —replicó Paddington, dedicando al señor Curry una de sus miradas duras especiales; mas por desgracia estaba oscuro, así que no causó efecto.

—¿Y si prendemos fuego a la hoguera? —se apresuró a preguntar el señor Brown—. Entonces todos podremos ver lo que estamos haciendo —hubo un crujido de hojas secas cuando él se inclinó para aplicar la cerilla.

—Eso está mejor —dijo el señor Curry frotándose las manos—. Hay un poco de corriente en esta veranda de ustedes. Yo lanzaría algunos fuegos más, si ya no quedan bocadillos —miró de través a la señora Bird.

—No quedan más —dijo la señora Bird—. Precisamente usted se ha comido el último —el señor Curry se apartó y empezó a rebuscar en la caja de Paddington—. Hay que ver —prosiguió la señora Bird—, la cara que tienen algunas personas. Y no ha sido capaz de comprar ni una rueda catalina.

—Pero sí sabe estropear cosas —dijo la señora Brown—. Menos él, todo el mundo ha estado preparando algo para esta noche. Y ahora que pienso...

Fuera lo que fuese que la señora Brown iba a decir, se perdió porque entonces se oyó un grito que venía del cobertizo del jardín.

—¡Atiza, Paddington! —gritó Jonathan—. ¿Por qué no nos lo dijiste?

—¿Decir qué? —preguntó el señor Brown, tratando de dividir su atención entre una vela romana que acababa de empezar a chisporrotear y el objeto misterioso que Jonathan sacaba arrastrando del cobertizo.

—¡Es un Guy! —gritó Judy con delicia.

—¡Y es estupendo! —exclamó Jonathan—. Si parece una persona de verdad. ¿Es tuyo, Paddington?

—Bueno —contestó Paddington—, sí... y no —parecía más bien preocupado.

En su excitación casi se había olvidado del Guy que había utilizado cuando recogió el dinero para los fuegos artificiales. Sería mejor no contárselo todo a los demás, no fueran a hacerle muchas preguntas.

—¿Un Guy? —preguntó el señor Curry—. Entonces será mejor que le prendamos fuego —atisbó a través del humo. Por alguna razón el muñeco tenía un vago aspecto familiar que él no fue capaz de discernir.

—¡Oh, no! —se apresuró a decir Paddington—. No creo que debamos hacerlo. No es para quemar.

—Tonterías, oso —replicó el señor Curry—. Ya veo que no entiendes mucho de la noche de Guy Fawkes. Los muñecos del Guy siempre se queman —apartó a los otros a un lado y con la ayuda del rastrillo de jardín del señor Brown colocó al Guy encima de la hoguera.

—¡Ahí lo tienen! —exclamó, mientras se apartaba, frotándose las manos—. Así está mejor. Eso es lo que yo llamo una hoguera.

El señor Brown se quitó las gafas, las frotó y luego miró con fijeza a la hoguera. No reconoció el traje que el Guy llevaba y se alegró al ver que no era uno de los suyos. De todos modos, empezó a sentir sospechas...

—Parece un Guy muy bien vestido —observó.

El señor Curry se sobresaltó y luego se adelantó para mirar más de cerca. Ahora que la hoguera ardía de verdad era más fácil ver. Los pantalones eran devorados por las llamas y la chaqueta había empezado a chamuscarse. Los ojos casi se le salieron de las órbitas y señaló con un dedo tembloroso hacia las llamas.

—¡Ése es mi traje! —rugió— ¡Mi traje! ¡El que ustedes tenían que enviar a la lavandería!

—¡Vaya! —exclamó el señor Brown. Todo el mundo se volvió para mirar a Paddington.

Paddington estaba tan sorprendido como los otros. Era la primera noticia que tenía del traje del señor Curry.

—Lo encontré en el portal —dijo—. Creí que lo habían puesto allí para que se lo llevara el trapero...

—¿El trapero? —gritó el señor Curry, casi fuera de sí de rabia—. ¿El trapero? ¡Mi mejor traje! Yo... yo... —el señor Curry estaba farfullando y ya no sabía qué decir. Pero la señora Bird sí que lo sabía.

—Para empezar —dijo—, no era su mejor traje. Que yo sepa, lo ha enviado a la lavandería por lo menos seis veces. Y estoy segura de que Paddington no sabía que era suyo. En todo caso —terminó triunfalmente—, ¿quiere usted decirme quién fue el que insistió en echarlo al fuego?

El señor Brown trató de no echarse a reír, y luego vio de reojo que el señor Gruber le miraba por encima de su pañuelo.

—Usted dijo —declaró conteniendo una risita—, que lo echaran a la hoguera y Paddington trató de detenerlo.

El señor Curry luchó consigo mismo durante un momento mientras miraba del uno al otro. Pero sabía que estaba derrotado. Lanzó una mirada furiosa final a su alrededor y luego salió dando un portazo.

—Bueno —dijo el señor Gruber, chasqueando la lengua—. Debo decir que estando aquí el joven señor Brown no hay un solo momento de aburrimiento —palpó bajo su silla y sacó una caja de cartón—. Ahora propongo que sigamos con la sesión de fuegos artificiales. Y por si se les acaban los cohetes, yo he traído más.

—Tiene gracia —dijo a su vez el señor Brown, metiendo la mano bajo su silla—, ¡porque yo también he traído!

Después, todo el vecindario dijo que había sido la mejor sesión de fuegos artificiales que habían visto en muchos años. Mucha gente acudió a contemplarlos, e incluso el señor Curry fue descubierto atisbando entre las cortinas en varias ocasiones.

Y cuando Paddington levantó una pata cansada y agitó la última candela romana en el aire para escribir la palabra FIN, todo el mundo estuvo de acuerdo en que nunca habían visto una hoguera tan bien hecha, ni un Guy tan bien vestido.

CAPÍTULO V
PREOCUPACIÓN EN EL NÚMERO TREINTA Y DOS

Aquella noche, después de que la hoguera se hubiese extinguido, el tiempo se volvió mucho más frío de repente. Cuando Paddington subió arriba para irse a la cama, abrió su ventana unos centímetros y atisbó fuera por si se veían más hogueras. Olfateó el aire frío de la noche y luego se apresuró a cerrar la ventana, metiéndose en la cama y subiéndose las mantas hasta las orejas.

Por la mañana se despertó mucho más temprano que de ordinario, tiritando de frío, y con gran sorpresa halló que los extremos de sus bigotes, que quedaron destapados durante la noche, estaban rígidos. Tras escuchar un rato para asegurarse de que estaban preparando el desayuno, se puso la siberiana y se dirigió al baño.

Cuando llegó al baño, Paddington hizo varios descubrimientos interesantes. Primero, la toalla, que había dejado doblada en el toallero la noche anterior, estaba tan tiesa como una tabla, e hizo un gracioso crujido cuando trató de enderezarla. Luego, cuando abrió el grifo, no salió nada. Paddington decidió rápidamente no lavarse aquella mañana y volvió a su habitación.

Pero cuando llegó a ella se llevó otra sorpresa. Descorrió las cortinas y trató de mirar por la ventana, consiguiendo sólo ver que estaba totalmente blanca y helada, lo mismo que la del baño. Paddington echó el aliento sobre el cristal y lo frotó con el dorso de su pata. Cuando hizo un redondel lo suficientemente grande como para atisbar por él, casi se cayó para atrás de asombro.

Las huellas de la hoguera de la noche anterior habían desaparecido por completo. En cambio, todo estaba cubierto por una espesa capa blanca. No sólo eso, sino que millones de grandes copos blancos caían del cielo.

Bajó corriendo la escalera para decírselo a los demás. Los Brown estaban sentados alrededor de la mesa del desayuno cuando él penetró de improviso en la habitación. Paddington agitó las patas alocadamente y pidió a todos que miraran a través de la ventana.

—¡Santo Dios! —exclamó el señor Brown, levantando la mirada de su periódico matinal—. ¿Qué ocurre?

—¡Mire! —dijo Paddington, señalando hacia el jardín—. ¡Todo se ha puesto blanco!

Judy echó atrás la cabeza y rió.

—No ocurre nada, Paddington. Es sólo nieve. Ocurre cada año.

—¿Nieve? —preguntó Paddington, aturdido—. ¿Qué es nieve?

—Una molestia —dijo el señor Brown malhumorado. El señor Brown no estaba de muy buen humor aquella mañana. No esperaba que el tiempo cambiara tan rápidamente y todas las tuberías del piso de arriba se habían helado. Para empeorar las cosas, todo el mundo le echó la culpa a él, porque se olvidó de avivar la caldera antes de acostarse.

—¿La nieve? —explicó Judy—. Bueno, es... una especie de lluvia helada. Es muy blanda.

—Es estupenda para hacer bolas —dijo Jonathan—. Ya te enseñaremos cómo hacerlas después del desayuno. De paso limpiaremos los senderos.

Paddington se sentó ante la mesa del desayuno, sin poder apenas apartar sus ojos de la escena que se veía al otro lado de la ventana.

—¡Paddington! —exclamó la señora Brown con suspicacia—. ¿Llevabas puesta esta mañana tu siberiana cuando te lavaste?

—Se habrá lavado aprisa y mal —dijo la señora Bird mientras le entregaba un cuenco de gachas de avena humeantes—. Y más mal que aprisa, si quiere saberlo.

Pero Paddington estaba demasiado absorto pensando en la nieve para oír lo que estaban diciendo. Se preguntaba si podría acelerar el desayuno poniendo todas las cosas en el mismo plato. Pero cuando alargó la mano para coger el tocino entreverado y los huevos y la mermelada, tropezó casualmente con la mirada de la señora Bird, y se apresuró a fingir que estaba dirigiendo la música de la radio.

—Si sales después del desayuno, Paddington —le dijo la señora Brown—, me parece que sería muy amable de tu parte limpiar el sendero del señor Curry antes que el nuestro. Todos sabemos que no fue culpa tuya lo que le pasó a su traje, pero eso demostrará tu buena voluntad.

—Es una buena idea —opinó Jonathan—. Nosotros te ayudaremos. Luego podremos emplear toda la nieve que apartemos para hacer un muñeco de nieve esta tarde. ¿Qué te parece, Paddington?

Paddington pareció más bien dubitativo. Cada vez que trataba de hacer algo para el señor Curry, salía mal.

—Pero no juguéis con bolas de nieve —les advirtió la señora Bird—. El señor Curry siempre duerme con la ventana de su habitación abierta, incluso en pleno invierno. Si lo despertáis, no le va a gustar.

Paddington, Jonathan y Judy convinieron en estar tan quietecitos como pudieran. Tan pronto terminaron el desayuno, se pusieron sus ropas de más abrigo y salieron corriendo para ver la nieve.

Paddington se sintió muy impresionado. Era mucho más profunda de lo que había esperado; pero no tan fría como creyó iba a ser, excepto cuando se quedaba mucho tiempo en un mismo sitio. Al cabo de un rato los tres estaban limpiando con palas y escobas los senderos del señor Curry.

Jonathan y Judy empezaron por la acera situada delante de la casa. Paddington tomó su cubo y su pala de playa y empezó a trabajar en el sendero del jardín de atrás del señor Curry, que no era tan ancho.

Llenó el cubo de nieve y luego la arrojó por un agujero practicado en la acera de los Brown, cerca del lugar donde pensaban hacer un muñeco de nieve más tarde. Era un trabajo duro, porque la nieve era profunda y le llegaba hasta el borde de su siberiana. Además, conforme quitaba la nieve de un sitio, caía más, cubriendo la parte que acababa de limpiar.

Después de trabajar lo que le parecieron horas, Paddington decidió tomarse un descanso. Pero apenas se había sentado en el cubo cuando algo le golpeó en la nuca, casi derribándole el sombrero.

—¡Te pillé! —le gritó Jonathan con delicia—. ¡Ven, Paddington, acércate hasta donde yo estoy, haz algunas bolas y podremos hacer una pelea!

Paddington se levantó de un salto y fue corriendo agachado dando la vuelta al cobertizo del señor Curry. Luego, tras asegurarse de que la señora Bird no estaba a la vista, cogió un poco de nieve y la redondeó hasta formar una bola. Sujetándola firmemente en su pata derecha, cerró los ojos y apuntó cuidadosamente.

—¡Vaya! —gritó Jonathan—. Me has fallado por un kilómetro. Será mejor que practiques un poco.

Paddington se quedó tras el cobertizo del señor Curry rascándose la cabeza y examinando su pata. Sabía que la bola de nieve tenía que haber ido a parar a algún sitio; pero no tenía la menor idea de dónde. Tras pensárselo un rato, decidió tirar otra. Si daba la vuelta sigilosamente a la casa, podría sorprender a Jonathan y devolverle la broma.

Al pasar de puntillas ante la puerta trasera del señor Curry, se dio cuenta de que ésta aparecía abierta. El viento que soplaba metía la nieve en la cocina y ya se había amontonado una poca sobre la alfombrilla. Paddington vaciló un momento y luego cerró la puerta. Se oyó el clic que hizo ésta al cerrarse y luego comprobó con la pata para asegurarse de que estaba bien cerrada. Estaba seguro de que al señor Curry no le gustaría tener nieve en el suelo de su cocina y se sintió muy complacido por haber podido hacer otra buena acción, aparte de barrer el sendero.

Para sorpresa de Paddington, cuando atisbó a la vuelta de la esquina hacia la parte delantera de la casa, el señor Curry estaba allí. Llevaba puesta una bata sobre su pijama y parecía aterido y malhumorado. Interrumpió su conversación con Jonathan y Judy y miró en dirección de Paddington.

—¡Ah, ahí estás, oso! —exclamó—. ¿Has estado tirando bolas de nieve?

—¿Bolas de nieve? —repitió Paddington, apresurándose a
esconder la pata tras la espalda—. ¿Ha dicho bolas de nieve, señor
Curry?

—Sí —replicó el señor Curry—. ¡*Bolas de nieve!* Una muy grande ha penetrado por la ventana de mi habitación hace un momento
y ha ido a parar al centro de mi cama. ¡Y se ha derretido sobre mi
botella de agua caliente! Si lo has hecho a propósito, oso...

—¡Oh, no, señor Curry! —respondió Paddington inmediatamente—. Yo no haría una cosa así a propósito. Es muy difícil arro-
jar bolas de nieve con la pata, especialmente una bola tan grande
como ésa.

—¿Como cuál? —preguntó el señor Curry con suspicacia.

—Como la que usted dice que fue a parar a su cama —contestó Paddington, un poco confundido. Ya estaba empezando a desear que el señor Curry se marchara. La bola de nieve le estaba haciendo sentir mucho frío en la pata.

—¡Huum! —exclamó el señor Curry—. Bueno, no me voy a quedar aquí, en la nieve, discutiendo travesuras de osos. He bajado sólo para decirte eso —miró a su alrededor aprobando la limpieza de la acera—; pero debo admitir que me he sentido agradablemente sorprendido —se volvió—. Si me limpiáis el resto os daré un penique. Para todos... —añadió para evitar ser mal entendido.

—¡Un penique! —exclamó Jonathan disgustado—. ¡Un miserable penique!

—Bueno —dijo Judy—. Al menos habremos hecho una buena acción este día. Aunque sea para el señor Curry.

Paddington pareció dubitativo.

—No creo que nos sirva de mucho —dijo, escuchando atentamente—. Creo que su efecto ya ha acabado.

Mientras hablaba se oyó un rugido de rabia del señor Curry, seguido de varios porrazos a la puerta.

—Creí haberle hecho un favor cerrando la puerta —explicó Paddington muy preocupado—. Ahora no puede entrar en su casa.

—¡Dios mío! —gimió Lucy—. Has empezado mal el día.

—¿Quién ha cerrado mi puerta? —rugió el señor Curry, mientras volvía hacia la parte delantera de la casa—. ¡Oso! —espetó—. ¿Dónde estás, oso?

El señor Curry miró furioso hacia la calle, donde no se veía un alma. De haber estado algo menos malhumorado, se habría dado cuenta de tres claras series de huellas de patas y pies por donde Paddington, Jonathan y Judy habían iniciado la retirada.

A cierta distancia, las tres pistas se separaban. Las de Jonathan y Judy desaparecían en casa de los Brown. Las de Paddington se dirigían al mercado.

Él ya había visto bastante al señor Curry por aquel día. Además, eran más de las diez y media y había prometido al señor Gruber que estaría con él a las once para tomar su taza de chocolate.

—Creo que el señor Curry está un poco chiflado —comentó la señora Brown, a última hora de aquel día—. Ha estado fuera de su casa toda la mañana, en pijama y bata, a pesar de la nieve. Luego empezó a dar vueltas corriendo y esgrimiendo el puño.

—¡Huum! —exclamó la señora Bird—. Vi a Paddington jugando con bolas de nieve en su jardín trasero poco antes de que eso sucediera.

—¡Oh, cariño! —dijo la señora Brown. Miró hacia fuera por la ventana. El cielo se había aclarado al final y el jardín, con todos los árboles inclinados bajo el peso de la nieve, parecía una postal de Navidad—. Se ve todo muy tranquilo —dijo—. Como si fuera a ocurrir algo.

La señora Bird siguió su mirada.

—Han hecho un muñeco de nieve muy bonito. Nunca había visto uno tan bonito. Es pequeño, pero parece de tamaño natural.

—¿No es el sombrero de Paddington el que le han puesto encima? —preguntó la señora Brown. Daba la vuelta para mirar cuando la puerta se abrió y Jonathan y Judy entraron en la habitación—. Estábamos comentando que habéis hecho un muñeco de nieve muy bonito.

—No es un muñeco de nieve —dijo Jonathan misteriosamente—. Es un oso de nieve. Hemos querido darle una sorpresa a papá. Viene ahora por la calle.

—Me parece que habrá más de una sorpresa —dijo la señora Bird—. El señor Curry está esperando a vuestro padre junto a la cerca.

—¡Atiza! —gimió Jonathan—. La cosa se pone fea.

—Para meter la pata no hay nadie como el señor Curry —comentó Judy—. Espero que no entretenga mucho a papá.

—¿Por qué, hija mía? —preguntó la señora Brown—. ¿Qué importancia tiene eso?

—¿Que qué importancia tiene? —replicó Jonathan—. Yo diría que sí la tiene.

La señora Brown no quiso seguir hablando del asunto. No le quedaba la menor duda de que ya se enteraría de todo a su debido tiempo, fuera lo que fuese.

Al señor Brown le costó mucho trabajo librarse del señor Curry y meter su coche en el garaje. Cuando salió, parecía harto de todo.

—¡Ese señor Curry! —exclamó—. ¡Quejándose otra vez de Paddington! De haber estado yo aquí esta mañana, habría caído en su cama más de una bola de nieve —miró a su alrededor por la habitación—. Y a propósito, ¿dónde está Paddington?

A Paddington le gustaba ayudar al señor Brown a guardar su coche y era raro que no estuviese para hacerle señas con la pata.

—Hace mucho rato que no lo he visto —dijo la señora Brown. Se quedó mirando a Jonathan y Judy—. ¿Sabéis dónde está?

—¿No ha salido a recibirte, papá? —preguntó Jonathan.

—¿Salir a recibirme? —inquirió el señor Brown, aturdido—. No. ¿Es que tenía que salir a recibirme?

—¿No has visto el oso de nieve? —le preguntó Judy—. Al lado del garaje.

—¿Un oso de nieve? —preguntó el señor Brown—. ¡Santo Dios! ¿Quieres decir... que era Paddington?

—Pero, ¿qué demonios está haciendo ese osito ahora? —quiso saber la señora Bird—. ¿Quieren decir que ha estado ahí cubierto de nieve todo este tiempo? ¡Nunca he oído cosa semejante!

—Bueno, no ha sido exactamente idea suya —dijo Jonathan.

—Supongo que oyó la voz del señor Curry y se asustó —explicó Judy.

—Traedlo adentro inmediatamente —ordenó la señora Bird—. ¡Puede pillar una pulmonía! Lo voy a mandar a la cama sin cenar.

No es que la señora Bird estuviera enfadada con Paddington, es que la preocupaba que le pasara algo. Cuando lo vio entrar por la puerta, sus maneras cambiaron inmediatamente.

Tomó una de sus patas y luego le palpó la nariz.

—¡Dios Santo! —exclamó—. ¡Si está como un témpano!

Paddington tiritó.

—No me gusta ser un oso de nieve —dijo con voz débil.

—Yo también diría que no —dijo la señora Bird, y añadió volviéndose hacia los demás—. Este oso se va a la cama inmediatamente, con una botella de agua caliente y una taza de caldo. Ahora mismo voy a llamar al médico.

Hizo que Paddington se sentara junto al fuego y subió corriendo las escaleras en busca de un termómetro.

Paddington se recostó en el sillón del señor Brown con los ojos cerrados. Sentía malestar. No recordaba haberse sentido así antes. Durante un momento le parecía estar tan frío como la nieve de afuera y un instante después como si estuviera ardiendo.

No estaba muy seguro de cuánto tiempo estuvo echado en el sillón, pero recordaba vagamente que la señora Bird le había metido algo largo y frío bajo la lengua y que le advirtió que no mordiera. Tras eso no recordaba mucho más, excepto que todo el mundo empezó a correr, preparando sopa y llenando botellas de agua caliente y asegurándose de que su habitación estaba confortablemente caldeada.

Al cabo de unos minutos todo estuvo listo y los Brown al completo subieron para asegurarse de que estaba bien abrigado en la cama. Paddington se lo agradeció mucho y luego, tras sacar una pata para saludar, se recostó y cerró los ojos.

—*Debe* de sentirse mal —susurró la señora Bird—. Ni siquiera ha probado la sopa.

—¡Atiza! —exclamó Jonathan sintiéndose muy desgraciado—. ¡Y pensar que ha sido idea mía! Nunca me lo perdonaré si le ocurre algo.

—Fue idea mía también —dijo Judy para consolarlo—. Se nos ocurrió a los dos. De todos modos —añadió, mientras sonaba el timbre de la puerta—, ése debe ser el médico, así que pronto sabremos lo que tiene.

El doctor MacAndrew estuvo un buen rato con Paddington y cuando bajó ponía una cara muy seria.

—¿Cómo está, doctor? —le preguntó la señora Brown con ansiedad—. No estará grave, ¿verdad?

—¡Ay! Sí que lo está —contestó el doctor MacAndrew—. Es mejor que lo sepan. Ese osito está muy enfermo, por jugar con la nieve sin estar acostumbrado. Le he recetado unas gotas que le confortarán esta noche y volveré a pasar mañana por la mañana.

—Pero, se curará, ¿verdad, doctor? —preguntó Judy.

El doctor MacAndrew meneó la cabeza con gravedad.

—No me atrevo a dar una opinión.

Y tras decir eso deseó a todos buenas noches y se marchó en su automóvil.

Los Brown formaban un grupo muy triste cuando subieron las escaleras aquella noche. Mientras se disponían a ir a la cama, la señora Bird trasladó sus cosas a la habitación de Paddington, de modo que pudiera estar cuidándolo toda la noche.

Pero no fue la única que no pudo dormir. Varias veces la puerta de la habitación de Paddington se abrió nuevamente y bien el señor o la señora Brown, o Jonathan, o Judy, entraron sin hacer ruido para ver cómo seguía. Les parecía imposible que a Paddington le *pudiera* ocurrir algo malo. Pero cada vez que miraban a la señora Bird, ella meneaba la cabeza y proseguía con su costura para que no le vieran la cara.

Al día siguiente la noticia de la enfermedad de Paddington corrió rápidamente por el barrio y a la hora del almuerzo no pararon de acudir visitas preguntando por él.

El señor Gruber fue el primero que se presentó.

—Me preguntaba qué le habría ocurrido al joven señor Brown, cuando no se presentó a mi "hora once" esta mañana —dijo, pareciendo muy inquieto—. Le guardé el chocolate caliente más de una hora.

El señor Gruber se marchó; pero volvió poco después trayendo un racimo de uvas y una gran cesta con frutas y flores de parte de todos los vendedores del mercado de Portobello.

—Siento que no haya otra cosa en esta época del año —dijo—. Con tanta gente deseando que se ponga bueno, estoy seguro de que lo logrará.

El señor Gruber se llevó la mano al sombrero para saludar a la señora Brown y luego se alejó lentamente en dirección al parque. No quería volver a su tienda aquel día.

Incluso el señor Curry llamó a la puerta aquella tarde. Era portador de una manzana y un tarro de gelatina de patas de ternera que, según dijo, era muy buena para personas achacosas.

La señora Bird llevó todos los regalos a la habitación de Paddington y los colocó en orden junto a su cama, por si él se despertaba y quería comer algo.

El doctor MacAndrew se presentó varias veces en los dos días siguientes; pero a pesar de todo lo que hizo, no pareció haber ningún cambio.

—Hay que esperar —era lo único que decía.

Tres días después, a la hora del desayuno, la puerta del comedor de los Brown se abrió de repente y la señora Bird entró con apresuramiento.

—¡Oh, vengan en seguida! —exclamó—. ¡Es Paddington!

Todo el mundo se levantó de un salto y miró fijamente a la señora Bird.

—¿No... no se habrá puesto peor? —preguntó la señora Brown, expresando los pensamientos de todos.

—¡Gracias a Dios, no! —contestó la señora Bird, abanicándose con el diario de la mañana—. Eso es lo que quería decirles. Está mucho mejor. ¡Se ha sentado en la cama y ha pedido un bocadillo de mermelada!

—¿Un bocadillo de mermelada? —inquirió la señora Brown—. ¡Dios bendito! —no estaba segura de si quería reír o llorar—. Nunca creí que el oír la palabra mermelada me hiciera sentir tan feliz.

Mientras hablaban se oyó un fuerte tintineo de la campanilla que la señora Brown había instalado al lado de la cama de Paddington, para caso de emergencia.

—¡Oh, cariño! —exclamó la señora Bird—. ¡Espero que no nos hayamos alegrado demasiado pronto!

Salió corriendo de la habitación y todo el mundo la siguió escaleras arriba hasta la habitación de Paddington. Cuando entraron, vieron a Paddington echado de espaldas, con las patas fuera y mirando fijamente el techo.

—¡Paddington! —exclamó la señora Brown, apenas atreviéndose a respirar—. ¡Paddington! ¿Te encuentras bien?

Todo el mundo prestó ansiosa atención a la réplica:

—Creo que he tenido una pequeña recaída —dijo Paddington, con voz débil—. He pensado que sería mejor que me comiera *dos* bocadillos de mermelada... por si acaso.

Hubo un suspiro de alivio de los Brown y la señora Bird mientras intercambiaban miradas. Aunque todavía no fuera el de antes, Paddington estaba decididamente en el camino de la recuperación.

CAPÍTULO VI

PADDINGTON Y LAS COMPRAS DE NAVIDAD

—Supongo que no debería decirlo —declaró la señora Bird—, pero estaré contenta cuando las Navidades hayan terminado.

Las semanas anteriores a Navidad daban mucho trabajo a la señora Bird. Había tantos pastelillos de carne, budines y bollos que hacer, que buena parte de su tiempo lo pasaba en la cocina. Este año las cosas habían empeorado por el hecho de que Paddington se pasaba la mayor parte del día en casa, "convaleciendo" después de su enfermedad. A Paddington le interesaban mucho los pastelillos de carne picada, y había abierto la puerta del horno lo menos una docena de veces para ver cómo iban.

La convalecencia de Paddington fue una época difícil para los Brown. Les dio trabajo mientras estuvo en cama, porque llenaba las sábanas de pepitas de uvas. Pero las cosas empeoraron cuando se levantó y pudo andurrear por la casa. No podía estar quieto, sin hacer nada, y se había convertido en una necesidad el mantenerlo entretenido en todo momento para que no estorbara. Incluso intentó aprender a hacer media (nadie sabía por qué); pero se enredaba de tal modo con la lana y la ponía tan pegajosa de mermelada, que al final tenía que dejarla de lado. Hasta el basurero llegó a quejarse, cuando vino a recoger la basura, por lo mucho que aumentaba su volumen.

—Ahora está muy quieto, de momento —dijo la señora Brown—. Creo que está atareado con su lista de compras de Navidad.

—No habrá pensado en llevarlo de compras con usted esta tarde, ¿verdad? —preguntó la señora Bird—. Ya sabe lo que le pasó la última vez.*

La señora Brown suspiró. Se acordaba muy bien de la última vez que había llevado a Paddington de compras.

—No tengo más remedio que llevármelo —dijo—. Se lo prometí y él está ahora muy ilusionado.

A Paddington le gustaba ir de compras. Le encantaba mirar escaparates y desde que leyó en el periódico lo de las decoraciones de Navidad, ya no pudo pensar en otra cosa. Además, tenía una razón especial para querer ir de compras esta vez. Aunque no se lo había dicho a nadie, Paddington había estado ahorrando para comprar algunos regalos a los Brown y a sus restantes amigos.

Ya había comprado un marco para su retrato, y se lo había enviado, junto con un tarro de miel, a su tía Lucy, en el Perú, por-

* Véase "Un oso llamado Paddington".

88

que los regalos para Ultramar tenían que llevarse al correo con mucha anticipación.

Tenía varias listas, encabezadas con la palabra SECRETO, guardadas en su caja, y tuvo el oído aguzado durante cierto tiempo escuchando todas las conversaciones con la esperanza de descubrir qué era lo que cada uno necesitaba.

—De todos modos —dijo la señora Brown—, es agradable tenerlo otra vez entre nosotros y ha sido muy bueno últimamente. Creo que se merece un regalo. Además —añadió—, esta vez no lo llevo a Barkridges, sino a los almacenes Crumbold y Ferns.

La señora Bird sacó una bandeja del horno.

—¿Está segura de que hace bien en llevarlo allí? —preguntó—. Ya sabe cómo son.

Crumbold y Ferns era un establecimiento muy antiguo, donde todo el mundo hablaba en susurros y los dependientes llevaban levita. A Crumbold y Ferns iba la gente más distinguida.

—Es Navidad —dijo la señora Brown atolondradamente—. Y ese local le gustará.

Y cuando Paddington partió con la señora Brown después del almuerzo, incluso la señora Bird tuvo que admitir que iba lo bastante elegante como para poder entrar en cualquier parte. Su siberiana, que acababan de traer de la lavandería, no tenía una sola mancha, e incluso el viejo sombrero (que Paddington insistía siempre en ponerse cuando salía de compras) ofrecía un aspecto desusadamente limpio.

De todos modos, después que Paddington le dijo adiós con su pata desde la esquina, la señora Bird volvió a meterse dentro y no pudo por menos que alegrarse de quedarse en casa.

Paddington disfrutó durante el trayecto hasta Crumbold y Ferns. Fueron en autobús y él logró conseguir un asiento delantero en el piso inferior. De pie en el asiento, podía ver a través del agujero que había en la pantalla colocada tras el asiento del conductor.

Paddington golpeó el cristal varias veces con los nudillos y saludó otras tantas con la pata al hombre que estaba tras el volante; pero éste iba demasiado ocupado con el tráfico para volverse y la verdad es que recorrieron mucho trecho sin detenerse.

El cobrador se puso de malhumor cuando advirtió lo que Paddington estaba haciendo.

—¡Eh! —le gritó—. ¡Deja de dar golpecitos! Los osos como tú son los que hacen que los autobuses tengan mala reputación. Ya nos hemos pasado tres paradas.

Pero era un hombre amable, y cuando Paddington le dijo que lo sentía, le explicó que había señales que hacían que los autobuses se detuvieran o se pusieran en marcha y le dio el extremo de un rollo de billetes como regalo. Cuando hubo cobrado todos los billetes, volvió de nuevo y le indicó algunos edificios interesantes cerca de los cuales pasaban. Incluso le regaló un caramelo redondo que se había encontrado en su cartera. A Paddington le gustó ver lugares nuevos, y sintió que el viaje terminara y tuviera que decir adiós al cobrador.

Hubo otro ligero incidente cuando llegaron a Crumbold y Ferns. Paddington tuvo un accidente con la puerta giratoria. En realidad no fue culpa suya, ya que trató de seguir a la señora Brown, cuando ésta entró en los almacenes, justo cuando un caballero de aspecto distinguido y con barba salía por el otro lado. Aquel hombre tenía mucha prisa y cuando empujó la puerta giratoria ésta se puso a dar vueltas a gran velocidad, arrastrando a Paddington. Dio varias vueltas hasta que, para su asombro, se encontró de nuevo en la acera.

Tuvo tiempo de echar un rápido vistazo al hombre de la barba, quien le saludó con la mano desde el asiento trasero de un gran coche cuando éste se alejaba. Aquel hombre parecía estar gritando algo; pero Paddington nunca supo qué era, porque en aquel momento pisó algo duro y cayó hacia atrás.

Quedó sentado en medio de la acera examinando su pata y ante su sorpresa se encontró un alfiler de corbata pegado a ella. Paddington sabía que era un alfiler de corbata porque el señor Brown tenía otro muy parecido, exceptuando que el suyo era bastante corriente, y éste tenía algo grande y brillante fijado en él. Paddington se lo prendió en la parte delantera de su siberiana, para que estuviera más seguro, y entonces se dio cuenta de que alguien le estaba hablando.

—¿Se encuentra bien, señor?

Era el portero, un hombre muy digno, con un elegante uniforme y muchas medallas.

—Creo que sí, gracias —repuso Paddington, mientras se levantaba y se desempolvaba—; pero no sé donde he puesto mi caramelo.

—¿Su caramelo? —preguntó el hombre—. ¡Santo Dios! —si se quedó sorprendido, no lo demostró. Los porteros de Crumbold y Ferns estaban muy bien enseñados. Al mismo tiempo, no pudo por menos de sentirse perplejo acerca de Paddington. Cuando se fijó en el alfiler de corbata, con el enorme diamante en el centro, se dio cuenta en seguida de que estaba tratando con alguien muy importante. "Probablemente un oso de alta sociedad", pensó. Pero cuando se fijó en el viejo sombrero de Paddington ya no estuvo tan seguro. "Quizás es uno de esos osos que salen a cazar, disparar y pescar que ha venido del campo a pasar el día en la capital —decidió—, o tal vez un oso de buena familia que conoció tiempos mejores."

Así que contuvo a los peatones con un severo gesto de su mano mientras buscaban en la acera. En tanto indicaba el camino a Paddington para que volviera a la puerta giratoria y se reuniera con la señora Brown, que le esperaba ansiosamente al otro lado, se le ocurrió pensar que eso de ayudar a un osito de buena familia a encontrar su caramelo, no era una cosa que ocurriera todos los días en Crumbold y Ferns.

Paddington le devolvió el saludo con un gesto de su pata y luego miró a su alrededor. El interior del almacén era de lo más impresionante. Adondequiera que iban, hombres altos con levita les hacían una profunda reverencia y les daban las buenas tardes. Paddington tenía la pata cansada de saludar cuando llegaron a la sección de enseres para el hogar.

Como ambos tenían algunas compras secretas que hacer, la señora Brown dejó a Paddington con un empleado y acordó encontrarse con él en la puerta de entrada de los almacenes dentro de un cuarto de hora.

El dependiente aseguró a la señora Brown que Paddington quedaba en buenas manos.

—Aunque yo no recuerdo a ningún oso —contestó él cuando ella le explicó que Paddington procedía de los oscuros bosques del Perú—, tenemos varios distinguidos caballeros extranjeros entre nuestros clientes. Muchos hacen aquí sus compras de Navidad.

Se volvió y se quedó mirando a Paddington cuando la señora Brown se marchó, quitándose entretanto una motita imaginaria de su levita.

En secreto, Paddington estaba empezando a sentirse asustado de Crumbold y Ferns, y como no deseaba poner en evidencia a la señora Brown cometiendo alguna torpeza, sacudió también de pasada, con la pata, su propio abrigo. El dependiente observó fascinado la nubecilla de polvo que se levantó en el aire y luego se posó lentamente en su bonito y limpio mostrador.

Paddington siguió la mirada del hombre.

—Creo que es polvo de la acera —dijo a modo de explicación—. Sufrí un accidente en la puerta giratoria.

El dependiente tosió.

—¡Oh! —exclamó—. ¡Cuánto lo siento! —dirigió a Paddington una mirada enfermiza y decidió no hacer caso del asunto—. ¿En qué puedo servirle, señor? —preguntó, rutinariamente.

Paddington miró a su alrededor para asegurarse de que la señora Brown no estaba a la vista.

—Quiero una cuerda para tender la ropa —anunció con tono muy resuelto.

—¿Una *qué?* —inquirió el dependiente.

Paddington se apresuró a pasar el caramelo al otro lado de la boca.

—Una cuerda para tender la ropa —repitió, con voz ahogada—. Es para la señora Bird. La que tenía se rompió el otro día.

El dependiente tragó saliva. Le era imposible comprender lo que este extraordinario osito le estaba diciendo.

—Quizás —sugirió, porque un dependiente de Crumbold y Ferns raramente se da por vencido— fuera mejor que usted se subiera al mostrador.

Paddington suspiró. A veces era difícil explicar las cosas. Se subió al mostrador y abrió su maleta, sacando de ella un anuncio que él había recortado del diario del señor Brown unos días antes.

—¡Ah! —el rostro del dependiente se iluminó—. Usted quiere decir una de nuestras cuerdas extensibles especiales para tender la ropa, señor —alargó la mano hacia un estante y sacó una cajita verde—. Una elección bien hecha, si me permite que se lo diga, señor. Propia de un osito con gusto. Se la recomiendo encarecidamente.

El hombre tiró de un extremo de la cuerda que salía por un agujero practicado en un lado de la caja y se lo alargó a Paddington.

—Este tipo de cuerda extensible para tender es empleado por algunas de las mejores familias del país.

Paddington pareció convenientemente impresionado mientras se bajaba del mostrador, sujetando la cuerda con su pata.

—Ya ve —continuó el dependiente, inclinándose sobre el mostrador—. Es muy sencillo. La cuerda para tender está contenida en esta caja. Mientras usted camina con la cuerda, se va desenrollando. Luego, cuando ha acabado con ella, sólo tiene que girar esta manecilla y... —hubo en su voz una nota de aturdimiento—. No tiene más que girar esta manecilla... —repitió, probando de nuevo.

Realmente, era de lo más fastidioso. En vez de enrollarse de nuevo en la caja como se suponía, la cuerda iba saliendo más y más.

—Lo siento muchísimo, señor —dijo, alzando la mirada del mostrador—. Parece que algo se ha atascado...

Su voz se apagó y una expresión preocupada apareció en sus ojos, porque no se veía por allí a Paddington.

—¡Oye! —gritó a un compañero que estaba en el otro extremo del mostrador—. ¿Has visto pasar a un caballero osito, tirando de una cuerda para tender la ropa?

—Fue hacia allí —replicó el otro dependiente con brevedad, e indicó hacia el departamento de porcelanas—. Creo que se ha perdido entre el público.

—¡Dios mío! —exclamó el dependiente que había atendido a Paddington, mientras cogía la cajita verde y empezaba a abrirse camino a través de la muchedumbre de compradores, siguiendo el rastro de la cuerda extensible para tender—. ¡Oh, Dios mío!

El dependiente no era el único que tenía motivos para sentirse preocupado. Al otro extremo de la cuerda, Paddington ya estaba metido en dificultades. Crumbold y Ferns estaba lleno de gente que hacía sus compras de Navidad, pero ninguna de esas personas parecía tener tiempo para fijarse en un osito. Tuvo que arrastrarse varias veces bajo una mesa para evitar que lo pisaran.

Era una cuerda para tender la ropa muy buena y Paddington estaba seguro de que a la señora Bird le gustaría; pero se le ocurrió pensar que ojalá hubiera escogido otra cosa. La cuerda parecía interminable y se estaba enredando en las piernas de otras personas.

Siguió y siguió, dando la vuelta a una mesa cargada de tazas y platillos, pasó junto a una columna y por debajo de otra mesa; la cuerda para tender seguía arrastrándose tras él. Mientras tanto iba habiendo más y más público y Paddington tuvo que empujar para abrirse camino. Un par de veces por poco perdió el sombrero.

Cuando casi había abandonado toda esperanza de volver al departamento de enseres para el hogar, vio de pronto al dependiente. Causó gran sorpresa a Paddington ver que el hombre estaba sentado en el suelo y que la cara se le había puesto muy colorada. Se había despeinado y parecía estar forcejeando con la pata de una mesa.

—¡Ah! ¡Aquí está usted! —exclamó jadeando, cuando vio a Paddington—. Supongo que se dará cuenta, osito, de que le he estado siguiendo por todo el departamento de porcelana. Y usted ha enredado la cuerda por todas partes.

—Lo siento —contestó Paddington mirando a la cuerda—. ¿De veras la he enredado? Es que me perdí... Los osos nos perdemos

entre la muchedumbre, ¿sabe? Debí pasar dos veces por debajo de esta mesa.

—¿Qué ha hecho usted con el otro extremo? —le gritó el dependiente.

Se había puesto de muy mal humor. Había calor y ruido bajo la mesa y la gente no paraba de darle puntapiés. Aparte de eso, la posición era de lo más indigno.

—Está aquí —dijo Paddington tratando de hallar el extremo de la cuerda—. Por lo menos, estaba hace un momento.

—¿Dónde? —le gritó el dependiente.

No sabía si era por el ruido que hacía la gente, pero seguía sin entender ni una palabra de las que pronunciaba el osito. Cada vez que decía algo, parecía ir acompañado de un extraño ruido de masticación y un fuerte olor a menta.

—¡Hable alto! —le gritó, ahuecando una mano en su oído—. No entiendo lo que dice.

Paddington se quedó mirando al hombre, inquieto. Parecía malhumorado. Estaba empezando a desear haber dejado el caramelo en la acera. Era muy bueno; pero empeoraba la situación.

Al meterse la mano en el bolsillo de su siberiana en busca de un pañuelo, sucedió... lo que no debía haber sucedido.

El dependiente dio un ligero salto y la expresión de su cara se congeló, cambiando lentamente hacia una de incredulidad.

—Perdóneme —dijo Paddington dándole una palmadita en el hombro—, pero creo que mi caramelo ha ido a parar a su oído.

—¿Su caramelo? —preguntó el hombre, con un tono de voz horrorizado—. ¿Que ha caído en mi oído?

—Sí —repuso Paddington—. Me lo dio un cobrador de autobús y me temo que se ha puesto un poco resbaladizo de chuparlo.

El dependiente salió arrastrándose de debajo de la mesa y luego se incorporó, irguiéndose. Con cara de gran disgusto se quitó los restos del caramelo de Paddington del oído. Lo sostuvo un momento entre el pulgar y el índice y luego se apresuró a soltarlo en el mostrador de al lado. Ya era malo tener que arrastrarse por el suelo desenredando una cuerda para tender, ¡pero que le metieran a uno un caramelo en el oído!, eso era algo que no se había visto jamás en Crumbold y Ferns.

Aspiró profundamente y señaló con un dedo tembloroso en dirección a Paddington. Pero al ir a abrir la boca para hablar se dio cuenta de que Paddington había desaparecido. Y con él había desaparecido también la cuerda para tender ropa. Tuvo el tiempo justo para agarrar la mesa cuando ésta retembló sobre sus patas. Aún así, cayeron al suelo varios platos, una taza y un platillo.

El dependiente alzó la mirada hacia el techo y tomó nota mental de no permitir en el futuro que entraran ositos en la tienda.

Parecía que en el vestíbulo había cierta conmoción. Él tenía sus ideas propias sobre la posible causa de la misma, pero decidió guardarse sus pensamientos para sí. Ya había tenido bastante con un cliente oso por aquel día.

La señora Brown se abrió paso entre el público que se había agrupado en la acera, frente a la entrada de Crumbold y Ferns.

—Perdóneme —dijo, tirando de la manga del portero—. Perdóneme. ¿Ha visto usted un osito con una siberiana azul? Quedamos en reunirnos aquí y se ha congregado tanta gente que ya empiezo a preocuparme.

El portero se llevó la mano a la gorra.

—¿No será el joven caballero de allá, señora? —le preguntó, señalando a través de un boquete entre el público hacia donde otro hombre uniformado forcejeaba con la puerta giratoria—. Si es él, se ha atrancado. Y bien atrancado. No puede ni salir ni entrar. Se ha quedado en medio, por así decirlo.

—¡Dios mío! —exclamó la señora Brown—. Eso parece propio de Paddington.

Poniéndose de puntillas, miró por encima de un caballero barbudo que estaba ante ella. El hombre estaba dando ánimos mientras golpeaba con los nudillos en el cristal, y ella tuvo tiempo justo para ver una pata familiar que se agitaba agradecida.

—¡Es Paddington! —exclamó—. ¿Cómo se ha metido ahí?

—¡Ah! —dijo el portero—. Eso es lo que estamos tratando de averiguar. Parece que ha enredado en las bisagras una cuerda de tender la ropa.

Se produjo gran agitación entre el público cuando la puerta empezó a girar una vez más.

Todo el mundo corrió hacia Paddington; pero el hombre de la barba con aspecto distinguido llegó primero. Para sorpresa de todos, lo tomó de una pata y se la estrechó subiéndosela y bajándosela.

—¡Muchas gracias, oso! —exclamó—. ¡Me alegro de conocerte!

—El gusto es mío —contestó Paddington, pareciendo tan sorprendido como los demás.

—¡Vaya! —exclamó el portero respetuosamente, mientras se volvía hacia la señora Brown—. No sabía que fuera amigo de Sir Gresholm Gibbs.

—Ni yo tampoco —dijo la señora Brown—. ¿Y quién es Sir Gresholm Gibbs?

—Sir Gresholm —repitió el portero con voz ahuecada—, ¡es el famoso millonario! Uno de los clientes más importantes y distinguidos de Crumbold y Ferns.

Hizo retroceder a la multitud de espectadores interesados para dejar paso libre a Paddington y al hombre distinguido.

—Querida señora —dijo Sir Gresholm, haciendo una profunda reverencia al acercarse—, usted debe ser la señora Brown. Acabo de enterarme de todo lo que se refiere a usted.

—¿Sí? —preguntó la señora Brown, dubitativa.

—Este osito suyo encontró un alfiler de corbata con un diamante muy valioso que yo perdí a primeras horas de esta tarde —explicó Sir Gresholm—. No sólo eso, sino que me lo ha guardado todo este tiempo.

—¿Un alfiler de corbata con un diamante? —preguntó la señora Brown mirando a Paddington. Era la primera noticia que tenía de un alfiler de corbata con un diamante.

—Me lo encontré cuando perdí mi caramelo —dijo Paddington, soltando un largo silbido.

—Un ejemplo para todos nosotros —dijo Sir Gresholm muy satisfecho, mientras se volvía hacia el público congregado y señalaba a Paddington.

Paddington saludó modestamente con una pata cuando un par de personas aplaudieron.

—Y ahora, querida señora —continuó Sir Gresholm, volviéndose a la señora Brown—, según tengo entendido, usted pensaba enseñar a este osito algunas de las decoraciones de Navidad.

—Bueno —contestó la señora Brown—. Esperaba hacerlo. Él no las ha visto nunca y realmente es su primera salida desde que estuvo enfermo.

—En tal caso —dijo Sir Gresholm, haciendo una seña hacia un lujoso coche que estaba aparcado junto al bordillo—, mi coche está a su disposición.

—¡Oooh! —exclamó Paddington—. ¿De veras? —le brillaron los ojos. Nunca había visto un coche tan enorme y mucho menos soñado montar en él.

—Naturalmente —dijo Sir Gresholm, mientras les abría la puerta—. Eso —añadió al ver una expresión preocupada en el rostro de Paddington—, si ustedes quieren hacerme el honor.

—¡Oh, sí! —exclamó Paddington cortésmente—. Me gustaría muchísimo hacerle el honor —vaciló—; pero me he dejado un caramelo en uno de los mostradores de Crumbold y Ferns.

—¡Oh! —exclamó el caballero, mientras ayudaba a Paddington y la señora Brown a subir al coche—. Entonces sólo podemos hacer una cosa.

Dio unos golpecitos con su bastón en la ventanilla de cristal que había tras el chófer.

—En marcha, James —dijo—. Y no te pares hasta que lleguemos a la primera confitería.

—Quiero un caramelo redondo, con palito, por favor, señor James —dijo Paddington.

—Decidido, un caramelo redondo, con palito. Eso es de la máxima importancia —se volvió hacia la señora Brown y le hizo un guiño—. ¿Sabe? Ya me ocuparé yo de eso.

—Y yo también —dijo Paddington inmediatamente, mientras miraba las iluminaciones a través de la ventanilla.

Mientras el enorme coche se alejaba del bordillo, él se puso de pie en el asiento e hizo un saludo final con la pata al grupo de espectadores boquiabiertos, y luego se retrepó agarrándose a una borla dorada.

No era una cosa que se viera todos los días, un oso recorriendo Londres montado en un automóvil magnífico, y Paddington quería gozarlo plenamente.

CAPÍTULO VII

NAVIDAD

A Paddington le parecía que Navidad tardaba mucho tiempo en llegar. Cada mañana bajaba corriendo las escaleras y tachaba con una cruz la fecha transcurrida en el calendario; pero contra más días tachaba, más lejos le parecía.

Sin embargo, tenía muchas cosas en que ocuparse. En primer lugar, el cartero empezó a llegar más y más tarde por la mañana, y cuando finalmente llegaba a casa de los Brown, traía tantas cartas que le costaba trabajo meterlas en el buzón. A menudo traía también paquetes de aspecto misterioso, que la señora Bird escondía inmediatamente, antes de que Paddington tuviera tiempo de echarles un vistazo.

Un número sorprendente de sobres vinieron dirigidos al propio Paddington y él hizo una lista detallada de quienes le enviaban tarjetas de Navidad, para asegurarse de que después él les daría las gracias a todos.

—Puede que no seas más que un osito —le dijo la señora Bird, mientras le ayudaba a colocar las tarjetas en la repisa de la chimenea—; pero ciertamente has dejado huella.

Paddington no estaba seguro de cómo tomarse estas palabras, especialmente cuando la señora Bird acababa de pulir el suelo del recibidor; pero cuando él se examinó sus patas, las tenía limpias.

Paddington había hecho sus propias tarjetas de Navidad. Algunas las había dibujado él mismo, decorando los bordes con acebo y muérdago; otras las hizo con fotos recortadas de las revistas de la señora Brown. Pero cada una de ellas tenía las palabras FELIZ NAVIDAD Y PRÓSPERO AÑO NUEVO escritas en la parte delantera, y estaban firmadas PADINGTUN BROWN en el interior, junto con la huella especial de su pata para demostrar que eran genuinas.

Paddington no estaba muy seguro de cómo se escribía FELIZ NAVIDAD sin hacer faltas de ortografía. Le parecía que estaba mal escrito. Pero la señora Bird le enseñó las palabras en un diccionario para que estuviera seguro.

—No creo que haya mucha gente que reciba felicitaciones de Navidad de un oso —explicó ella—. Probablemente querrán conservarlas, así que debes de asegurarte de que están bien escritas.

Una noche, el señor Brown llegó a casa con un enorme árbol de Navidad atado en la baca del coche. Lo colocaron en un puesto de honor, junto a la ventana del comedor, y tanto Paddington como el señor Brown pasaron mucho tiempo adornándolo con bombillas eléctricas de colores y tiritas de papel plateado.

Aparte del árbol de Navidad, había que colocar guirnaldas de papel y acebo, así como grandes campanitas de colores, hechas con un papel ondulado. A Paddington le gustaba hacer las cadenitas de papel. Logró convencer al señor Brown de que los osos eran muy buenos haciendo decoraciones y juntos adornaban la mayor parte de la casa. Paddington estaba subido en los hombros del señor Brown y éste le iba alargando los prendedores. La cosa acabó de modo infortunado una tarde, cuando Paddington puso accidentalmente su pata sobre un prendedor que había dejado caer sobre la cabeza del señor Brown. Cuando la señora Bird acudió corriendo a ver qué era todo aquel jaleo y preguntar por qué todas las luces se habían apagado de repente, se encontró a Paddington colgando de la lámpara del techo y al señor Brown bailoteando alrededor de la habitación frotándose la cabeza.

Mas por entonces la decoración estaba casi terminada y la casa había adquirido un aire festivo. El aparador gemía bajo el peso de nueces y naranjas, dátiles e higos, nada de lo cual le fue permitido tocar a Paddington; el señor Brown dejó de fumar en pipa y llenaba en cambio el ambiente con el humo de sus cigarros puros.

La excitación en casa de los Brown fue en aumento, hasta alcanzar un clima febril pocos días antes de Navidad, cuando Jonathan y Judy llegaron a casa para pasar las Navidades.

Pero si los días que precedieron a la Navidad fueron atareados u emocionantes, no fueron nada comparados con el propio día de Navidad.

Los Brown se levantaron muy temprano aquella mañana, mucho antes de lo que tenían previsto. Todo empezó cuando Paddington se despertó y encontró una gran funda de almohada al pie de la cama. Los ojos casi se le salieron de las órbitas por el asombro cuando encendió su linterna, porque rebosaba de paquetes y ciertamente no estaba allí cuando él se fue a la cama la víspera, en Nochebuena.

Los ojos de Paddington se hicieron más y más grandes conforme fue desenvolviendo los papeles brillantemente coloreados que envolvían cada regalo. Unos días antes, siguiendo instrucciones de la señora Bird, había hecho una lista de todas las cosas que esperaba recibir y la había escondido en una de las chimeneas. Era extraño; pero todo lo que puso en aquella lista parecía estar en la almohada.

Había un gran equipo de química, regalo del señor Brown, lleno de frascos, botellas y probetas, que parecía muy interesante. Y había un xilófono miniatura, regalo de la señora Brown, que le complació muchísimo. A Paddington le gustaba mucho la música (especialmente la fuerte, en la que él era un buen director) y siempre quiso tener algo con que tocar.

El paquete de la señora Bird era aún más emocionante, porque contenía una gorra a cuadros que él había pedido especialmente y subrayado en su lista. Paddington se quedó al pie de la cama, admirando el efecto en el espejo durante un rato.

Jonathan y Judy le regalaban cada uno un libro de viajes. A Paddington le interesaba mucho la geografía; era un oso que había viajado mucho y le complacía que hubiera en ellos tantos mapas e ilustraciones en color.

El ruido en la habitación de Paddington pronto fue suficiente para despertar a Jonathan y Judy, y en seguida se oyeron ruidos en toda la casa y se esparcieron papeles desgarrados y pedazos de cuerda por todas partes.

—Soy tan patriota como cualquiera —refunfuñó el señor Brown—, pero me opongo a que los osos empiecen a tocar el himno nacional a las seis de la mañana, especialmente si lo hacen al xilófono.

Como siempre, fue la señora Bird la que tuvo que restablecer el orden.

—Basta ya de regalos hasta después del desayuno —dijo con firmeza.

Acababa de tropezar con Paddington en el descansillo de arriba, donde él estaba investigando su nuevo equipo de química, y algo desagradable cayó en sus zapatillas.

—No se preocupe, señora Bird —dijo Paddington, consultando su libro de instrucciones—. Es sólo un poco de limaduras de hierro. No creo que sean peligrosas.

—Peligrosas o no —contestó la señora Bird—, tengo que preparar una gran cena, por no mencionar que aún no he terminado de decorar tu pastel de cumpleaños.

Como era un oso, Paddington tenía dos cumpleaños anuales (uno en verano y otro en Navidad) y los Brown celebraban una fiesta en su honor, a la cual habían invitado a asistir al señor Gruber.

Después de haber tomado el desayuno e ido a la iglesia, la mañana transcurrió rápidamente. Paddington pasó el resto del día tratando de decidir cuál sería la cosa siguiente que haría. Con tantos regalos donde elegir, era de lo más difícil. Leyó algunos capítulos de sus libros, y logró algunos aromas interesantes y una pequeña explosión con su equipo de química.

El señor Brown ya estaba medio arrepentido de habérselo regalado, especialmente cuando Paddington halló un capítulo en el libro de instrucciones titulado "Fuegos de Artificio Interiores". Hizo una serpiente "sin fin" que no dejaba de crecer y asustó muchísimo a la señora Bird cuando se la encontró bajando las escaleras.

—Si no lo vigilamos —dijo ella en confianza a la señora Brown—, no pasaremos de esta Navidad. Volaremos en añicos o acabaremos envenenados. Ha estado analizando mi salsa con papel tornasol.

La señora Brown suspiró.

—Menos mal que Navidad sólo hay una al año —dijo, mientras ayudaba a la señora Bird con las patatas.

—Aún no ha terminado —le advirtió la señora Bird.

Por suerte, el señor Gruber llegó en aquel momento y se pudo imponer un cierto orden antes de que todos se sentaran para cenar.

A Paddington le brillaron los ojos cuando vio la mesa. No estuvo de acuerdo con el señor Brown cuando éste dijo que todo tenía demasiado buen aspecto para comérselo. De todos modos, hasta Paddington fue comiendo más despacio hacia el final, cuando la señora Bird sirvió el budín de Navidad.

—Bueno —dijo el señor Gruber, unos minutos más tarde, mientras se retrepaba en su asiento y miraba su plato vacío—. Debo decir que es la mejor cena de Navidad que he tenido en muchos años. ¡Muchísimas gracias!

—¡Un momento! ¡Un momento! —advirtió el señor Brown—. ¿Qué dices, Paddington?

—Que todo ha sido estupendo —dijo Paddington lamiéndose un poco de crema que tenía en los bigotes—. Excepto que encontré un hueso en mi budín de Navidad.

—¿*Qué*? —le preguntó la señora Brown—. No seas tonto. No hay huesos en un budín de Navidad.

—Pues yo me encontré uno —insistió Paddington con firmeza—. Era muy duro y se me clavó en la garganta.

—¡Santo Dios! —exclamó la señora Bird—. ¡La moneda de seis peniques! Yo siempre pongo una moneda de plata en el budín de Navidad.

—¿Cómo? —preguntó Paddington, casi cayéndose de la silla—. ¿Una moneda de seis peniques? Nunca había oído hablar de un budín de seis peniques.

—¡Rápido! —gritó el señor Brown, levantándose ante el caso de urgencia—. ¡Ponedlo boca abajo!

Antes de que Paddington pudiera replicar, se halló colgando cabeza abajo, mientras que el señor Brown y el señor Gruber le sacudían por turno. El resto de la familia se congregó alrededor, observando el suelo.

—Es inútil —dijo el señor Brown al cabo de un rato—. Debe habérselo tragado.

Ayudó al señor Gruber a llevar a Paddington hasta un sillón, donde se quedó jadeando y tratando de recobrar la respiración.

—Yo tengo un imán arriba —dijo Jonathan—. Podríamos tratar de metérselo por la garganta con un trozo de cuerda.

—No creo que eso sirva de nada, hijo mío —dijo la señora Brown, con un tono de voz preocupado—. Podría tragárselo también y aún sería peor —se inclinó sobre el sillón—. ¿Cómo te encuentras, Paddington?

—Enfermo —contestó Paddington con voz agraviada.

—Claro que lo estás, cariño —dijo la señora Brown—. Es lo que se podía esperar. Sólo podemos hacer una cosa: llamar al médico.

—Menos mal que lo lavé antes de ponerlo —dijo la señora Bird—. Podría haberlo infectado con los microbios.

—Pero si no me lo tragué —jadeó Paddington—. Sólo estuve a punto. Lo dejé al lado de mi plato. No sabía que era una moneda de seis peniques, porque estaba cubierta de budín de Navidad.

Paddington estaba harto de comer. Había tomado una de las mejores cenas que podía recordar y luego lo habían puesto boca abajo y lo habían sacudido sin darle tiempo siquiera a dar una explicación.

Todo el mundo intercambió miradas y luego se alejaron sin decir nada, dejando a Paddington que se recobrara. La verdad es que no había mucho que *pudieran* decir.

Terminada la cena, se retiraron los cacharros de la mesa y para cuando la señora Bird preparó un café fuerte, Paddington ya casi se había recuperado. Estaba sentado en el sillón, comiendo unos dátiles, cuando los demás volvieron a la habitación. Era preciso algo muy fuerte para que Paddington se sintiera enfermo durante mucho tiempo.

Cuando acabaron de tomar el café y se sentaron alrededor del fuego, sintiéndose calientes y cómodos, el señor Brown se frotó las manos.

—Y ahora, Paddington —le dijo—, no sólo es Navidad, sino también tu cumpleaños. ¿Qué te gustaría hacer?

En la cara de Paddington apareció una expresión misteriosa.

—Si todos ustedes van a la otra habitación —anunció—, tengo una sorpresa especial.

—¿Tenemos que ir necesariamente, Paddington? Allí no hay fuego —dijo la señora Brown.

—No será por mucho rato —contestó Paddington con firmeza—; pero es una sorpresa especial y tengo que prepararla —abrió la puerta y los Brown, la señora Bird y el señor Gruber pasaron obedientemente uno tras otro a la otra habitación.

—Ahora cierren los ojos —dijo Paddington, cuando todos estuvieron colocados—, y ya les diré cuándo pueden abrirlos.

La señora Brown se estremeció.

—No tardes mucho —le dijo. Pero la única respuesta fue el ruido de la puerta al cerrarse.

Aguardaron varios minutos sin hablar y luego el señor Gruber se aclaró la garganta.

—¿Creen que el joven señor Brown se ha olvidado de nosotros? —preguntó.

—No sé —repuso la señora Brown—, pero yo no espero más. ¡Henry! —exclamó al abrir los ojos—. ¿Te has dormido?

—¡Eh! ¿Qué? —roncó el señor Brown. Había cenado tan copiosamente que le costaba trabajo mantenerse despierto—. ¿Qué pasa? ¿Me he perdido algo?

—No ha pasado nada —dijo la señora Brown—. Henry, será mejor que vayas a ver qué está haciendo Paddington.

Pasaron varios minutos antes de que el señor Brown regresara para anunciar que no podía encontrar a Paddington por ninguna parte.

—Pues tiene que estar en algún sitio —dijo la señora Brown—. Los osos no desaparecen porque sí.

—¡Atiza! —exclamó Jonathan, cuando de repente se le vino una idea a la cabeza—. ¿No se os ocurre que a lo mejor ha querido vestirse de Santa Claus? No hacía más que preguntar sobre Santa Claus el otro día, cuando puso su lista en la chimenea. Apuesto a que por eso quería que viniésemos aquí, porque esta chimenea comunica con la de arriba y no está encendida.

—¿Santa Claus? —dijo el señor Brown—. ¡Ya le daré yo a él Santa Claus! —metió la cabeza en la chimenea y llamó a Paddington por su nombre varias veces—. No veo nada —dijo encendiendo una cerilla.

Como si fuera una respuesta a sus palabras, una gran costra de hollín descendió y se estrelló sobre su cabeza.

—¡Mira lo que has hecho, Henry! —le dijo la señora Brown—. Gritando de esa manera has hecho caer el hollín. ¡Y sobre tu camisa limpia!

—Tratándose del joven señor Brown, quizá se haya atrancado en alguna parte —sugirió el señor Gruber—. Ha cenado demasiado. Yo me preguntaba dónde metería tanta comida.

La sugerencia del señor Gruber tuvo un efecto inmediato sobre el grupo y todo el mundo puso cara preocupada.

—¡Puede ahogarse con el humo! —exclamó la señora Bird, mientras salía corriendo en busca de una escoba.

Cuando regresó, armada con una fregona, todo el mundo la fue metiendo por turno en la chimenea; pero aun cuando aguzaron el oído no pudieron oír el menor ruido.

La emoción estaba en su punto culminante cuando Paddington entró en la habitación. Se quedó muy sorprendido al ver al señor Brown con la cabeza metida en la chimenea.

—Ya pueden venir al comedor —anunció, mirando a su alrededor—. He terminado de envolver mis regalos y ahora están en el árbol de Navidad.

—¿Quieres decir —farfulló el señor Brown, mientras se sentaba

en la chimenea, limpiándose la cara con un pañuelo— que has estado en el comedor todo este tiempo?

—Sí —repuso Paddington inocentemente—. Espero no haberles hecho esperar mucho.

La señora Brown se quedó mirando a su esposo.

—Creo que dijiste que habías mirado en todas partes.

—Bueno, veníamos del comedor —dijo el señor Brown un poco avergonzado—, no creí que estuviera *allí*.

—Eso sólo demuestra —se apresuró a decir la señora Bird, mientras miraba la expresión del rostro del señor Brown— lo fácil que es crearle una mala reputación a un oso.

Paddington pareció sumamente interesado cuando le explicaron a qué venía todo aquel jaleo.

—Nunca pensé en bajar por la chimenea —dijo, mirando fijamente el hogar.

—Ni lo pensarás ahora —replicó el señor Brown con severidad.

Pero hasta la expresión del señor Brown cambió cuando siguió a Paddington al comedor y comprobó la sorpresa que allí les estaba preparada.

Además de los regalos que ya habían sido colocados en el árbol, había ahora seis más atados a las ramas inferiores. Si los Brown reconocieron el papel de envolver que ellos habían empleado para los regalos destinados a Paddington a primeras horas del día, fueron demasiado corteses para decir nada.

—Siento haber tenido que emplear papel usado —se excusó Paddington, mientras hacía un gesto con su pata hacia el árbol—. Ya no me quedaba más dinero. Por eso ustedes tuvieron que ir a la otra habitación mientras yo envolvía los paquetes.

—Realmente, Paddington —dijo la señora Brown—, estoy muy enfadada contigo, por haberte gastado todo tu dinero en regalos para nosotros.

—Me temo que sean cosas muy sencillas —dijo Paddington, mientras se retrepaba en su sillón para observar a los otros—. Pero espero que les gusten. Les he puesto etiquetas para que sepan cuál es el regalo de cada uno.

—¿Sencillas? No creo que una percha para colgar la pipa sea una cosa ordinaria. ¡Y también hay una onza de mi tabaco favorito atada a un extremo!

—¡Atiza! —exclamó Jonathan—. ¡Un nuevo álbum de sellos! ¡Vaya! ¡Y hasta tiene ya algunos sellos pegados!

—Son peruanos, de las tarjetas postales de tía Lucy —explicó Paddington—. Los guardaba para ti.

—¡Y para mí una caja de pinturas! —exclamó Judy—. Muchísimas gracias, Paddington. Es lo que quería.

—Todos parecemos felices —dijo la señora Brown desenvolviendo un paquete que contenía un frasco de su agua de colonia favorita—. ¿Cómo lo sabías? Mi último frasco se me acabó hace una semana.

—Lo siento por su paquete, señora Bird —dijo Paddington mirando al otro lado de la habitación—. Me costó mucho hacer los nudos.

—Debe ser algo especial —dijo el señor Brown—. Parece todo cuerda sin paquete.

—Es que está atado con una cuerda para tender la ropa —explicó Paddington—. Pude salvarla a pesar de que se enredó en la puerta giratoria de Grumbold y Ferns.

—Eso hace dos regalos en uno —dijo la señora Bird, mientras soltaba el último de los nudos y empezaba a desliar metros y metros de papel—. ¡Qué emocionante! No soy capaz de imaginar qué pueda ser.

Por fin logró desenvolver el paquete. Apareció un pequeño objeto. Al verlo, la señora Bird exclamó:

—¡Vaya! ¡Creo que es un broche para el pecho! Y tiene forma de oso, ¡qué encantador! —la señora Bird parecía muy conmovida mientras iba pasando el regalo a todos para que lo vieran—. Lo guardaré en lugar seguro —añadió— y sólo lo llevaré en ocasiones especiales, cuando quiera impresionar a la gente.

—Yo no sé qué será mi regalo —dijo el señor Gruber, mientras todos se volvían hacía él. Apretó su paquete—. Tiene una forma muy graciosa. ¡Es una jarrita para beber! —exclamó, con el rostro iluminado de placer—. ¡Y hasta tiene mi nombre pintado en un lado!

—Es para sus "horas once", señor Gruber —dijo Paddington—. Me fijé en que su jarro estaba desconchado.

—Estoy seguro de conseguir que mi chocolate sepa mejor que antes —dijo el señor Gruber.

Se levantó y se aclaró la garganta.

—Me gustaría dar las gracias al joven señor Brown —dijo—, por todos sus bonitos regalos. Estoy seguro de que ha pensado mucho en ellos.

—¡Bien! ¡Bien! —exclamó el señor Brown, mientras llenaba su pipa.

El señor Gruber buscó bajo su silla.

—Y ahora que pienso en ello, señor Brown, tengo un regalo para usted.

Todo el mundo rodeó y observó a Paddington mientras trataba de abrir su paquete, ansioso por ver lo que el señor Gruber le había comprado.

Se quedó boquiabierto de sorpresa cuando, al desgarrar el papel por un lado, apareció un libro de notas bellamente encuadernado, con cantos dorados y con las palabras PADDINGTON BROWN doradas impresas en la cubierta.

Paddington no sabía qué decir; pero el señor Gruber le hizo un gesto con la mano indicando que no le diera las gracias.

—Ya sé que le gusta escribir sus aventuras, señor Brown —le dijo—. Y le han pasado tantas que estoy seguro de que su libro de notas actual ya debe estar casi lleno.

—Y lo está —se apresuró a contestar Paddington inmediatamente—. Y estoy seguro de que tendré muchas más. Ya sabe que a mí siempre me pasan cosas. Pero aquí sólo anotaré las buenas.

Cuando se dirigió a la cama, a última hora de aquella noche, en su mente había tal torbellino, y estaba tan llena de cosas buenas, que apenas si pudo subir las escaleras y mucho menos pensar en nada. No estaba muy seguro de qué le había gustado más. Si los regalos, la cena de Navidad, los juegos, o el té, con el pastel especial, con una capa de mermelada, que la señora Bird había hecho en su honor. Deteniéndose en un rincón, a mitad de camino, decidió que lo que más le había gustado era entregar sus regalos.

—¡Paddington! ¿Qué tienes ahí? —dio un brinco y apresuradamente escondió su pata tras la espalda al oír que la señora Bird le llamaba desde la parte baja de la escalera.

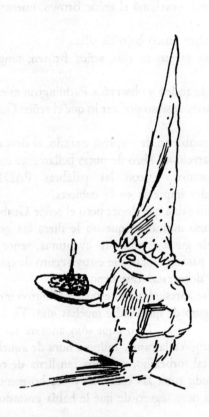

—Es sólo un poco de budín de seis peniques, señora Bird —dijo mirando por encima de la barandilla con cara de culpable—. Pensé que a lo mejor me entraba apetito durante la noche y no quería correr riesgos.

—¡Sinceramente! —exclamó la señora Bird, cuando se le acercaron los demás—. ¿A qué se parece este oso? ¡Sobre su cabeza un sombrero de papel diez veces más grande que él, el libro de notas del señor Gruber en una pata, y un plato de budín de Navidad en la otra!

—A mí no me importa lo que parezca —dijo la señora Brown—, mientras siga siendo como es. Esta casa no sería la misma sin él.

Pero Paddington estaba ya demasiado lejos para oír lo que decían. Estaba sentado en su cama, muy ocupado escribiendo en su cuaderno de notas.

En primer lugar, había que poner algo muy importante en la primera página. Decía:

PADINGTUN BROWN,

32 WINDSOR GARDENS,

LUNDRES,

INGLATERRA,

YUROPA,

EL MUNDO.

Luego, en la página siguiente, añadió, con grandes letras mayúsculas: MIS ABENTURAS, CAPÍTULO UNO.

Paddington chupó la pluma pensativamente un momento y luego volvió a poner cuidadosamente el tapón en la botellita de tinta, antes de que ésta pudiera caer sobre la sábana. Sentía demasiado sueño para escribir nada más. Pero no le importaba realmente. Mañana sería otro día y él estaba completamente seguro de que tendría más aventuras, aunque aún no supiera cuáles iban a ser.

Paddington se recostó en la cama y subió las mantas hasta sus bigotes. Estaba calentito y cómodo y suspiró de satisfacción al cerrar los ojos. Era bonito ser un oso. Especialmente un oso llamado Paddington.

INDICE